Jella's grote kans

Van Yvonne Brill zijn bij De Fontein verschenen:

STICHTING NEDERLANDSE
KINDERJURY
1994

ISBN 90 261 0565 7
© 1993 Uitgeverij De Fontein bv, Postbus 1, 3740 AA Baarn
Omslag en illustraties: Yvonne Brill
Grafische verzorging: Studio Combo
Verspreiding voor België: Uitgeverij Westland nv, Schoten

Hoofdstuk 1

Wat word jij mooi!

Anika de Korte is deze ochtend bijzonder vroeg op. Haar helderblauwe ogen stralen van ondernemingslust.

Moeder Elke kijkt steels naar haar slanke dochter, die vliegensvlug haar boterhammen verorbert, om daarna snel naar de stal van hun boerderij de Oude Aarde te kunnen gaan.

'Is pap in de stal?' vraagt ze met haar mond vol. Moeder knikt geamuseerd. Normaal is Anika niet zo snel, maar in de vakanties...

Terwijl Anika een overall aantrekt zegt ze: 'Ik ben benieuwd of Kick vandaag komt.'

Kick is veearts en de oudste broer van Jos Kramers, één van Anika's vriendinnen. Hij is op dit moment heel belangrijk voor Anika.

Zij heeft met veel bravoure de zwarte hengst Lucky van de dood gered toen zijn eigenaar, Van den Berg, hem wilde laten inslapen na een dramatische val tijdens een race.

Kick Kramers heeft het gebroken been toen zo goed en zo kwaad als het ging, in het gips gezet, maar het is bijna zeker dat de gestroomlijnde hengst mank zal blijven.

Theo de Korte heeft Frida, de merrie en moeder van Anika's lieveling Jella, in de wei gezet, samen met Chief, de kleine Appaloosahengst. Hij knikt tevreden, want het gaat weer beter met de Oude Aarde en dat stemt je als boer gelukkig.

Wat een drama was het toen Anika ontdekte dat haar veulen moest worden verkocht, maar dat had haar vader niet uit luxe gedaan.

Gelukkig is alles ten goede gekeerd en loopt Frida al weer een hele tijd in de wei van de Oude Aarde. En Jella?

Jella is op de Olde Bongerd terechtgekomen, een stoeterij die met succes wordt geleid door Margot en Philip Anthony, een plek waar met heel veel liefde met paarden wordt gewerkt. Anika is er kind aan huis.

Zij is er eigenlijk alle vakanties te vinden en oude Henry, die de leiding over de pronkstukken heeft, ziet in Anika een waardevolle assistent-jockey.

Dat heeft Anika tijdens wedstrijden ook kunnen bewijzen, want zij heeft Jurre, een kastanjekleurige hengst, en Jella met succes bereden.*

Na die vakantie is Anika thuisgekomen met Lucky. Lucky is zwart als fluweel en onrustig door de gruwelijke ervaring van de valpartij.

Philip heeft haar toen gewaarschuwd dat Lucky niet zomaar een rijpaard voor haar kan worden.

Dat heeft Anika best begrepen, maar zij heeft Philip niet aan zijn neus gehangen dat zij andere plannen heeft met Lucky. Anita rent de keuken uit en botst niet al te zacht tegen haar vader op.

* Zie: Jella als draver

6

'Hé, kruidje-roer-mij-niet, heb jij iets aan je ogen?'

Anika grinnikt. 'Gewoon haast om bij Lucky te zijn. Ziet hij er vandaag beter uit?'

Vader De Korte glimlacht. Die dochter van hem is me er eentje, alsof een paard iedere dag verandert! 'Jij hebt staldienst, jongedame,' zegt hij streng. 'Anders breng ik je morgen niet naar de Olde Bongerd, plaagt hij zijn oogappel.

Anika bloost. 'Dat is chantage, maar het geeft niet, dan brengt Kick me wel!'

Vader Theo draait zich om, hij wil niet dat Anika ziet dat hij lacht.

Kick Kramers is met Fenna Ridderbos verloofd en Fenna verdient een zakcentje bij op de Olde Bongerd, dus weet Anika zeker dat zij naar de stoeterij vertrekt.

'Mm, ik vraag mij af wie wie chanteert,' zegt vader zuur.

Anika duwt de staldeur open en haalt Lucky uit zijn box. Het paard is niet meer zo schichtig als in het begin, maar toch is het dier niet echt gelukkig. Hij eet goed en glanst van gezondheid, maar iets is er verdwenen bij de gestroomlijnde hengst.

Anika neemt zich voor om het eens met Kick te bespreken.

Op dat moment komt een vreemd rood autootje het grintpad oprijden. Wat een gelukkig toeval, het is Kick. 'Ik zie dat jij Lucky net naar buiten wilt brengen, hoe is het met hem?' vraagt Kick.

Anika's blauwe ogen betrekken een beetje. 'Ik weet het niet. Zoals je zelf kunt constateren, ziet hij er bijzonder goed uit, eet als een boerenpaard, maar toch...?'

'De shock en de klap toen hij op de grond is gevallen, zijn de boosdoeners,' verklaart de jonge veearts. 'Ik zal het gips eens verwijderen, pak jij even m'n tas uit de auto.'

Anika grinnikt. 'Is dat een auto? Wat denkt Fenna daarvan?'

'Mijn Fenna heeft daarover niets te zeggen, jongedame, het is mijn bedrijfswagen en hij brengt mij overal waar mijn diensten worden gevraagd.'

'Het is al goed, ik wist niet dat je kwaad werd.'

Anika woelt door haar goudblonde haar en overhandigt Kick zijn werktas.

'Bind Lucky maar even vast, dan heb ik tenminste mijn handen vrij,' zegt Kick, terwijl hij het gereedschap zoekt waarmee het gips verwijderd kan worden.

'Je doet hem toch geen pijn, hè?' vraagt Anika bezorgd.

'Welnee, maar hou zijn been even vast, want dat zagen maakt een vreemd geluid en dat vindt een paard onaangenaam.'

Lucky draait onrustig met zijn oren en als Anika naast z'n been neerknielt, kijkt hij verbaasd naar beneden.

'Stil maar jochie, niemand doet je pijn,' verzekert Anika.

Lucky luistert naar de stem en doet geen poging het been uit de zorgzame meisjeshanden te bevrijden.

'Straks weten we hoe je uit de strijd te voorschijn bent gekomen,' zegt ze tegen de hengst.

Kick zaagt het laatste stuk gips door en zet voorzichtig de paardevoet neer. Hij controleert het been en zegt tevreden: 'Op een enkele zwelling na, ziet het been er prima uit.'

Lucky strompelt onhandig in het rond als Anika hem losmaakt.

'Hij zal weer moeten leren om op vier benen door het leven te gaan, en dat went gauw. Zet hem maar bij de andere paarden in de wei. Ik heb zelfs de indruk dat het nogal meevalt.'

Anika valt de jonge veearts om de hals.

'Hé, jongedame, ik heb niet gezegd dat Lucky weer honderd procent wordt, het ongeluk heeft het paard behoorlijk uit zijn evenwicht gebracht en alleen engelengeduld en liefde kunnen hem weer veranderen.'

'Kom, ik tuf maar eens naar de Olde Bongerd, want Caprilli heeft koliek, oude Henry klonk nogal bezorgd. Ze hebben daar ook een knechtje in dienst genomen dat nogal voor problemen zorgt, het is een neefje van trainer Jan Verboom. De jongen wil niet verderleren, dus proberen ze hem nu tot een waardig Olde Bongerd-lid op te voeden.' Kick kijkt ernstig. 'Ik betwijfel of het lukt. Enfin, je ziet hem morgen wel.'

Anika knikt. 'Kijk jij nog even naar Jella?' vraagt ze aan de veearts.

'Tuurlijk! Jouw Jella wordt met de dag mooier, een prima vlakke-baanpaard, ze zal voor Philip en Margot veel geld gaan verdienen.'

Kick Kramers kan zich wel voor z'n hoofd slaan als hij een floers over het gezicht van Theo de Korte ziet glijden. Als hij Jella had kunnen houden, was het prijzengeld voor hem geweest.

Kick draait zich om naar Anika en zegt: 'Jos komt straks even langs, samen met Loes, ik denk dat ze willen vragen of ze ook naar de Olde Bongerd mogen komen.'

'Ik kan het Margot vragen, een paar extra handen in de vakantietijd zijn altijd welkom,' meent Anika.

Kick knikt en gooit zijn tas op de achterbank van zijn vreemde auto.

'Daar komen de dames al aan, nu moet ik maken dat ik wegkom.'

Theo de Korte kijkt begrijpend, hij weet precies wat er volgt. Gegiechel, de slappe lach en eindeloos gediscuteer over paarden.

Loes van Meerwijk heeft haar lange staarten gevlochten. 'Ik heb mijn moeder beleefd doch dringend verzocht of ik die domme dingen af mag knippen, maar nee, wederom nul op het rekest. Het staat je zo mooi, is altijd het antwoord. Gezeur, ik moet dit stomme haar drie keer in de week wassen en iedere morgen zit de boel in de klit.'

Anika lacht. 'Kind, je knipt die dingen gewoon

af, niemand kan dat dan meer veranderen.'

Loes van Meerwijk knikt. 'Heb ik ook al een keer aan gedacht, maar m'n moeder explodeert beslist als ik zonder die staarten thuiskom.'

'Je kunt ze er daarna niet meer aan lijmen,' lacht Jos.

'Mijn moeder heeft een scherpe schaar,' zegt Anika praktisch.

Loes bijt op haar lip. Veel frisser, een kort kopje, en haar groeit vanzelf weer aan.

Anika heeft inmiddels de schaar gehaald en als Loes bevestigend knikt, knipt Anika de eerste staart af.

'Je krijgt flink geld voor zo'n vracht haar,' weet Jos te vertellen.

De tweede staart valt en op dat moment komt moeder Elke de stal binnen. Ontzet slaat ze haar hand voor de mond. 'Kinderen, wat hebben jullie nou gedaan? Dat is toch zonde?'

Loes van Meerwijk schudt haar hoofd. 'Lekker fris en het scheelt heel wat gewicht.' Elke de Korte raapt de zware staarten op en kijkt naar het ongelijke haar van Loes.

'Dáár zal een goede kapper aan te pas moeten komen om zoiets weer goed te krijgen. Was het soms jouw idee, Anika?' vraagt haar moeder streng.

Anika krijgt een kleur. Zij heeft wel een balletje in die richting opgegooid en gemeld dat moeder een scherpe schaar heeft!

Elke schudt wanhopig haar hoofd en neemt zich voor om de moeder van Loes straks even te bellen om haar op de catastrofe voor te bereiden.

De drie vriendinnen hebben al geen aandacht meer voor de gesneuvelde staarten, in de vakantie heb je andere zaken te bespreken.

'Denk je dat Loes en ik ook op de Olde Bongerd mogen komen?' vist Jos Kramers.

'Daar kan ik morgen pas antwoord op geven, morgenvroeg ga ik naar Jella,' zegt Anika met een stralend gezicht. In haar ogen is Jella altijd haar paard gebleven, al zijn Philip en Margot de eigenaars.

'Bel je morgenavond dan even?' vraagt Jos nadrukkelijk. Ze moet er niet aan denken de hele vakantie thuis te moeten blijven en ook nog zonder Anika.

'Beloofd is beloofd!' zegt Anika.

'Afgesproken, dan wachten we op je telefoontje.' Loes woelt door haar korte haar. 'Kom, ik zal ze thuis eens verrassen,' zegt ze op droge toon. 'Ik hoor mijn moeder al zeggen: kind, je hele imago verstoord, je enige schoonheid heb je vernietigd.'

'Ik zal de staarten even in een plastic zak doen,' biedt Anika aan, terwijl ze de lachtranen uit haar ogen wrijft. Zij kent de stembuigingen van moeder Van Meerwijk maar al te goed en Loes zal best een moeilijk uurtje tegemoet gaan...

'Groeten aan Jella en vergeet niet te bellen,' zegt Jos als ze op haar gammele fiets stapt.

'Veel succes thuis,' wenst Anika aan Loes. 'Tot gauw.'

Met een zucht draait Anika zich om en brengt een kruiwagen met mest weg. Niet alle klussen zijn plezierig, maar als je een paard mee naar huis brengt, kun je niet van je ouders verlangen dat zij de stal voor je schoonhouden.

'Pap, gaan we nou? Het is al half negen en ik heb oude Henry beloofd om half tien op het entrainement te zijn,' dringt Anika aan.

Theo de Korte drinkt met kleine slokjes van z'n hete koffie. 'Kalm maar, meisje, we hebben alle tijd. Heb je de paarden al gevoerd en schoon water gegeven?'

Anika knikt ongeduldig. 'En ze zijn geborsteld en staan al in de wei, de staldeuren staan open en gisteren heb ik nog extra stro in de boxen gedaan. Verder nog iets?'

Moeder Elke onderdrukt een glimlach. Paarden zijn alles voor Anika, maar als ze weer naar Jella kan, is ze gewoon ontzettend blij en ieder moment dat ze moet wachten is een marteling.

Eindelijk staat Theo de Korte op en terwijl moeder de bagage van Anika haalt, draaft die nog een keer naar de wei om Frida, Lucky en Chief goedendag te zeggen. 'Lucky, je moet echt oefenen, je been is genezen, dat heeft Kick gezegd, doe je best! Als ik terug ben zullen we eens een eindje gaan rijden, goed?'

Lucky hinnikt nadrukkelijk en duwt zijn donkere fluwelen neus tegen Anika aan.

'Zo moeten we het hebben, jongeman, een beetje doorzettingsvermogen doet wonderen!'

Anika zwaait totdat de Oude Aarde in een speelgoedboerderijtje is veranderd. Dan leunt ze tevreden achterover en zucht diep. Voor haar gevoel is nu de vakantie pas echt begonnen.

Zal Jella haar direct weer begroeten? Hoe lang is het geleden dat ze op de Olde Bongerd is geweest? Anika rekent, oei, al bijna drie maanden en dat is een lange tijd, maar paarden hebben een goed geheugen, dus zal Jella haar nog niet vergeten zijn.

Theo de Korte kijkt opzij. Normaal kletst Anika hem de oren van het hoofd, maar nu zij op weg is naar Jella, zit ze wat dromerig voor zich uit te kijken.

'Je kletst me de oren van het hoofd,' plaagt vader.

Anika krijgt een kleur. 'Ik denk aan Jella.'

'Daar was ik al bang voor, jij wordt niet zo stil als je aan mij denkt!'

Anika schudt haar hoofd. 'Ik weet het niet, als ik aan Jella denk voel ik iets van binnen, hoe moet ik het uitleggen?'

Theo de Korte knikt. 'Ik plaag je maar, ik weet precies hoe jij je voelt. Toen de Oude Aarde ten onder dreigde te gaan voelde ik me waarschijnlijk net zo leeg als jij was zonder Jella. Incompleet, verloren in de ruimte.'

Jella is blij dat haar bazin weer op de Olde Bongerd is

Anika knikt. 'Zo is het, jij brengt het precies onder woorden. Jella is alles voor mij, meer dan enig ander paard.'

Vader Theo fronst zijn voorhoofd. 'Als je maar nooit vergeet dat het een paard is, Anika; je hebt het met Lucky ondervonden, het lot kan gekke dingen doen en je kunt ook Jella verliezen.'

Anika schudt nadrukkelijk het hoofd. 'Dat is onmogelijk, dat mag nooit gebeuren!'

'Laten we hopen dat het nooit zal gebeuren, voorlopig ga je weer een fijne vakantie tegemoet met jouw Jella,' sust vader de heftig uitgesproken woorden van zijn dochter.

'Daar ligt de Olde Bongerd al, jongedame, jij bent weer bij je Jella.'

Anika vergeet gewoonweg haar vader goeden-dag te zeggen, ze stormt regelrecht naar de afdeling waar Jella staat.

Ze valt oude Henry om de hals en tranen van blijdschap lopen over haar wangen. Dan holt ze naar de box waarin Jella staat en het enige wat Anika uit kan brengen, terwijl Jella het goudkleurige hoofd tegen haar schouder legt, is: 'Ach Jella, wat ben je mooi geworden...!'

Hoofdstuk 2

Een ongeluk komt nooit alleen!

Philip en Margot zijn blij dat Anika weer op de Olde Bongerd is en het bovenkamertje staat weer tot haar beschikking.

Aarzelend informeert Anika of Loes en Jos ook welkom zijn. 'Ze kunnen goed de handen uit de mouwen steken,' zegt Anika snel.

Margot kijkt ernstig. 'Dat weet ik en ik gun ze dit uitstapje best, maar ze moeten wachten tot na de volgende race.'

'Over veertien dagen dus?' vraagt Anika.

Margot knikt en Anika snelt naar de telefoon om het goede nieuws door te bellen.

'Pas over twee weken?' klinkt het aan de andere kant van de lijn teleurgesteld.

'Loes heeft behoorlijk ruzie thuis over haar afge-knipte staarten, daarom hadden we gehoopt dit weekend te kunnen komen,' zegt Jos eerlijk.

'Veel te druk, voorbereidingen voor een belang-rijke race, kortom Margot kan jullie nu niet hebben. Ik heb mijn best gedaan,' vult Anika snel aan.

Ze hangt de hoorn op de haak met een vervelend gevoel in haar maag. Ze had toch niets toegezegd? Dat kun je ook niet doen als je zelf bij anderen te gast bent. Stom dat Jos zich zo op dit bezoek heeft vastgepend. Anika zucht diep en loopt naar Jan Verboom, die druk met Jurre in de weer is.

'Jurre moet een heel belangrijke race lopen, want de Olde Bongerd heeft het prijzengeld hard nodig. We hebben de laatste tijd behoorlijk pech gehad met de verkoop van sommige paarden,' legt hij Anika uit.

'Tja, Anika, op zo'n bedrijf gaat heel wat geld om, vaak moet je een paard verkopen of een kampioen in huis hebben om weer verder te kunnen. Philip is druk bezig met een experiment, hij wil dat Caprilli's goede eigenschappen samengaan met Michelle. Ja, kijk maar niet zo verbaasd, Michelle wordt over een poosje moeder en nu maar hopen dat we een toekomstige kampioen gefokt hebben.'

'Kan ook een kampioene zijn,' meent Anika. 'Niet alleen hengsten zijn snel!'

'Pardon, jongedame, ik heb niet direct aan jouw Jella gedacht,' plaagt de trainer. 'Onze Jella wordt met de dag sneller en mooier. Als de zon op haar huid schijnt lijkt het net een gouden paard, en die witte sokken geven haar een tienerachtige verschijning.'

Anika knikt, Jan Verboom geeft een hele mooie beschrijving van haar lieveling.

'O Anika, mag ik je aan mijn neefje voorstellen.' Anika kijkt in de ogen van een lange, uit zijn krachten gegroeide jongen die haar met glurende blik aankijkt. Ze heeft geen prettige eerste indruk van de jongen. Hij grijnst en verdwijnt dan weer in een van de boxen.

'Roel moet het vak een beetje leren, maar het zal niet eenvoudig zijn,' zegt Jan twijfelachtig.

Uit zijn opmerkingen begrijpt Anika direct dat Jan ook moeite heeft met z'n neef, die hij onder zijn hoede heeft genomen.

'Zal ik Jurre meenemen naar het entrainement?' vraagt Anika.

'Mm, dat is een goed idee, ik kom ook zo.'

Anika zadelt Jurre en praat tegen de mooie kastanjekleurige hengst.

Het hoofd van Roel duikt op vanachter een aantal balen stro. 'Zo, jij bent dus het meisje met de gouden handen, ik hoor hier niet anders dan "neem een voorbeeld aan Anika, wacht maar totdat Anika, er is…", maar ik wil wel eens zien of die Anika echt zo'n enorme paardrijdster is.'

Anika voert Jurre naar buiten en samen lopen ze naar de trainingsbaan. Omdat ze in gedachten is verzonken, merkt ze niet dat Roel hen volgt.

Ze wacht op Jan Verboom en controleert intussen of de stijgbeugels op de juiste hoogte zijn bevestigd en de buikriem goed is vastgegespt.

Jan Verboom glimlacht als hij op Caprilli aan komt rijden.

'Fijn dat je er weer bent, Anika de Korte,' zegt hij hartelijk. 'Je neemt mij verschrikkelijk veel werk uit handen, als Roel maar voor de helft zo snel wordt, dan heb ik tenminste wat aan hem. Neem jij de stopwatch, dan zal ik Jurre een aantal oefenronden laten lopen.'

Anika knikt tevreden, zij voelt zich hier als een vis in het water.

Philip en Margot komen aanlopen en blijven staan kijken. Voor hen is het heel belangrijk te weten hoe snel de paarden zijn en bovendien is het een bijzonder mooi gezicht, zo'n gestroomlijnd paard op volle snelheid.

Roel heeft zich tussen de struiken verstopt en lacht schamper als hij hoort wat zijn oom tegen Anika zegt. Ja, ja, voor de helft zo goed als die Anika, dat is al voldoende. Dat meisje moet hier weg, en snel, anders neemt zij misschien zijn plaats in.

Anika drukt de stopwatch in en ziet dat Jurre inderdaad in een prima staat verkeert.

Margot is opgewonden als ze de eindtijd hoort. 'Het moet lukken, Jan, spoedig zijn de problemen voorbij, Jurre loopt supertijden!'

Jan Verboom knikt. 'Jurre is een snel paard, maar laten we realistisch blijven, Margot, er lopen meer paarden mee, ik juich pas als we over de finishlijn zijn.'

Philip stoot zijn trainer aan. 'Je hebt gelijk, we moeten ons niet laten meeslepen door wensdromen. Anika, wil jij Jurre op stal zetten en laat hem niet te veel koud water drinken.'

Anika gooit een deken over de bezwete rug en langzaam loopt ze met het dier terug naar z'n box. Ze controleert het voer, droogt Jurre met een handdoek af en voelt of zijn drinkwater niet te koud is, pas daarna zet ze de hengst op zijn plaats en gooit nog een droge deken over zijn rug.

Roel steekt z'n hoofd om de boxdeur en grijnst. 'Jij slooft je nogal uit hier op het bedrijf, nog een deken over de rug van de stumper. Eén deken is zeker niet genoeg?' sneert de jongen.

Anika kijkt hem met haar helderblauwe ogen verbaasd aan.

Natuurlijk zorgt ze goed voor Jurre, ieder paard krijgt altijd de volle aandacht. Het komt niet bij Anika op dat iemand daar anders over kan denken. Het lijkt haar beter niet op zijn woorden te reageren.

Ze sluit de box zorgvuldig achter zich en aait nog even over de fluwelen neus van het dier. 'Slaap lekker,' zegt ze hartelijk. Jella krijgt ook nog een bezoekje en Anika vindt het niet prettig dat die Roel haar op de voet volgt.

Oude Henry komt de stal binnen en controleert verschillende boxen. Dan wordt Roel op het matje geroepen en hem wordt in ongezouten taal meegedeeld dat hij slordig werk heeft afgeleverd.

'Zo kan het niet gaan, Roel, we hebben je een kans gegeven omdat Jan Verboom ons na aan het hart ligt, anders was je er al eerder uitgevlogen,' zegt de oude trainer nadrukkelijk.

'Kijk eens, Caprilli heeft ijskoud en vuil water in zijn drinkbak. Dat hij koliek heeft komt dus door jouw nalatigheid,' zegt Henry kort.

De jongen slaat gluiperig de ogen neer en zegt:

Zó, jij bent dus het meisje met de gouden handen

'Ik moet zeker een voorbeeld nemen aan jullie Anika, want Anika is zó goed!'

Oude Henry trekt zijn wenkbrauwen op. 'Anika doet haar best en zij houdt veel van de paarden, inderdaad, dáár kun jij een voorbeeld aan nemen. Ga nu de andere boxen uitmesten, want morgen worden er twee dravers gebracht.'

Anika legt haar bonzend hoofd tegen Jella. Deze Roel mag haar eenvoudig niet en dat geeft haar een onprettig en onzeker gevoel.

Ze gooit ook maar een deken over de rug van Jella, want het is kil in de stal.

'Stom dat die Roel hier rondloopt, hè meisje, hij ziet mij als een gevaar voor z'n baantje, terwijl ik toch alleen maar in de vakanties kom helpen. Als dat maar goed gaat!'

Jella hinnikt vrolijk, alsof zij daarmee te kennen wil geven dat het haar een zorg zal zijn. Zij is blij dat haar bazin weer op de Olde Bongerd is.

Tijdens het avondeten is de stemming anders dan normaal. Anika, die een bijzonder talent heeft in het ontdekken van problemen, merkt dat Philip, Margot en oude Henry zorgen hebben. En als Jan Verboom de trainingstabellen doorneemt met oude Henry, merkt Anika dat deze er niet helemaal met z'n aandacht bij is.

Met gemengde gevoelens gaat Anika de Korte 's avonds naar boven. Wat is er mis op de Olde Bongerd?

Anika is voor dag en dauw al op de afdeling van de pronkstukken te vinden. Ze borstelt Jella en geeft haar haar ontbijt.

Oude Henry heeft glimlachend zijn hoofd geschud, Anika is weer niet te houden. Z'n glimlach verdwijnt als Roel een uur later komt opdraven en Anika bijna alle paarden al heeft verzorgd.

'Werkt jouw wekker niet?' vraagt de oude man nors.

De jongen schokschoudert onverschillig. 'U heeft toch al hulp,' zegt hij, terwijl hij naar Anika wijst.

'Jij wordt voor dit werk betaald, zij is alleen gast op de Olde Bongerd, daarin zit het verschil.'

Anika kan zich niet herinneren dat oude Henry zo hard is opgetreden. Zijn er soms meer dingen gebeurd met Roel waarvan zij geen weet heeft?

Kick Kramers komt de stal binnen.

'Goedemorgen. Ik kom even naar Caprilli kijken,' zegt hij nadrukkelijk.

De ogen van oude Henry glanzen. 'Dat mag ook wel, want Fenna is gisteren vertrokken, zij had een extra tentamen in te lopen. Heeft ze je dat niet verteld?' Kick Kramers krijgt een kleur. Dat is hem helemaal door het hoofd geschoten, maar als veearts heeft hij tenslotte ook de plicht om extra aandacht aan Caprilli te besteden, met of zonder Fenna.

Hij controleert de temperatuur van het drinkwater en knikt. 'Kan wel merken dat Anika weer op het bedrijf is,' merkt hij op. 'Deze paarden zijn nu eenmaal erg gevoelig voor eten en drinken.'

Oude Henry knikt en loopt met Kick naar buiten, hij heeft duidelijk wat met de veearts te bespreken.

Jan Verboom komt de stal binnen en loopt met het lichte renzadel naar Jurres box.

'Zo, jongeman, het is trainen geblazen,' zegt hij tegen de hengst met de verstandige ogen.

'Roel, zadel jij Jurre even, zo langzamerhand moet je het kunnen en vergeet niet de buikriem te controleren,' waarschuwt hij zijn neef.

Anika loopt met Jella naar buiten om haar in de wei te zetten. Het belooft een mooie dag te worden.

'Jij komt niet uit in de komende race, hè meisje, misschien kunnen wij vanmiddag samen wat gaan rijden,' belooft ze de merrie.

Jella gooit het goudkleurige hoofd in de nek en hinnikend rent ze weg.

Anika hangt even over het witte hek om naar haar Jella te kijken. Zij is werkelijk een lust voor het oog, de roomkleurige manen hangen in slierten voor de donkerbruine ogen en als ze draaft is ze indrukwekkend om te zien.

Anika draait zich om en ziet dat Roel Jurre naar de oefenbaan brengt en dat Jan Verboom hem geërgerd volgt.

Misschien is het maar beter om niet naar de baan te gaan, bedenkt Anika. Ze kan beter de resterende boxen in orde maken en kijken of Caprilli ook naar buiten kan.

Oude Henry zit een lijst in te vullen als Anika verder gaat in de stal.

'Ga jij niet naar de training van Jurre kijken? Ik denk dat Jan jou best een paar rondjes laat oefenen,' zegt de oude baas verbaasd.

Anika haalt haar schouders op. 'Roel meent dat ik hem van zijn plaats probeer te drukken, laat hem daarom maar samen met Jan trainen.'

Oude Henry knikt. 'Misschien is dat de beste oplossing. Soms denk ik dat hij geen snars om onze paarden geeft, het is zo'n vreemde snuiter.'

'Mag Caprilli in de wei?' vraagt Anika. De trainer knikt afwezig. 'Doe dat maar, Kick Kramers heeft tenslotte geen ernstige afwijkingen kunnen vinden.'

Anika voert de machtige schimmel aan z'n hoofdstel naar buiten en heeft net het witte hek geopend als Philip aan komt rennen. Ze sluit het hek en kijkt naar de bezwete eigenaar. 'Henry, kom gauw, een ongeluk, Jurre…!' brengt hij uit.

Anika holt achter de beide mannen aan naar de oefenbaan.

Jurre ligt op de grond en Jan Verboom staat er met een vertrokken gezicht bij. Het is duidelijk dat Jurre lelijk is gevallen.

Margot komt aanrijden en zegt zacht: 'Kick Kramers is onderweg.'

'Wat is er in 's hemelsnaam gebeurd?' vraagt oude Henry, terwijl hij zacht het hoofd van het paard streelt. Jan Verboom ziet lijkwit en wijst naar het renzadel dat op de grond ligt.

'Buikriem zat niet goed vast,' zegt hij bijna onverstaanbaar.

Anika denkt direct aan Roel, hij heeft het paard gezadeld, maar Jan had natuurlijk zelf de riem moeten controleren.

Kick Kramers' rode monsterauto slaat alle records. Hij onderzoekt Jurre en schudt zijn hoofd. 'Nek gebroken,' zegt hij zacht.

Philip komt even later met een revolver en overhandigt die aan oude Henry. De oude baas trilt over al zijn leden. 'Arme Jurre, baasje, ik kan je niet helpen,' zegt hij met tranen in zijn stem. Hij bindt z'n zakdoek voor de ogen van het dier en drukt af.

Dan valt er een enorme stilte over de Olde Bongerd.

Jan Verboom houdt zich vast aan het hek en blijft zo staan. 'Ik denk dat ik een paar ribben gebroken heb, ik rijd even met Kick mee naar het ziekenhuis,' zegt hij langzaam.

Margot huilt en bij Anika rollen de tranen over haar wangen.

Anika knielt bij het lichaam van Jurre om hem nog één keer te strelen.

Philip wil niet dat Jurre naar de slager gaat. Met een vertrokken gezicht geeft hij Roel opdracht om in de achterste wei een kuil te graven.

Anika richt zich op en kijkt door een waas in de verte. Alle illusies die deze hardwerkende mensen hadden, zijn door een stom ongeluk de grond inge-

Jurre

boord. Er loopt geen Jurre mee in de volgende vlak-
kebaanrace.

Margot ziet hoe Anika meeleeft met hun verdriet, zij is echt één van de Olde Bongerd.

'Kom, wij gaan maar even een sterke kop koffie
zetten, dat hebben we allemaal nodig,' zegt ze,
terwijl ze haar rug recht.

Ze troont Anika mee, het is beter dat de tiener de
begrafenis van Jurre niet ziet.

In de keuken is het behaaglijk warm en Anika
valt als verdoofd in een stoel neer. 'Hoe kon zoiets
nou gebeuren,' zegt ze verdrietig.

Margot haalt moedeloos haar schouders op. 'Ik
weet het niet, Anika, Jan Verboom zal ons meer
kunnen vertellen, maar voor Jurre is het te laat.'

Hoofdstuk 3

Jella, jij niet

Het duurt een hele tijd voordat Jan Verboom weer op de Olde Bongerd wordt afgeleverd. Heel voorzichtig lopend komt hij de keuken binnen.

'Het viel mee, een aantal gekneusde ribben. De dokter heeft me behoorlijk ingepakt,' zegt hij zacht. 'Ik had graag een stuk of wat ribben gebróken, als ik daarmee Jurre had kunnen redden,' zegt hij met een brok in z'n keel.

Roel kauwt op een stuk brood en kijkt bijna onverschillig naar de mensen die zo verdrietig zijn om het verlies van een paard.

'Ik ben medeschuldig, ik had de buikriem zelf nog moeten controleren,' zegt Jan toonloos. 'Maar ik had een blind vertrouwen.'

Roel veert op. 'Het zal mijn schuld wel weer zijn!'

Oude Henry knikt. 'Dat is het ook en jij bent ontslagen.'

Roel lacht schamper. 'Dat waren jullie toch al van plan, nou, dan ga ik maar meteen, ik ben misselijk van jullie sentimentele gedoe met deze beesten.'

Jan Verboom komt heel moeizaam overeind en geeft de jongen een klap in z'n gezicht. 'Ondankbaar joch, verdwijn!'

Met een van pijn vertrokken gezicht gaat hij weer

op de bank liggen. 'Arme Jurre, verloren voor altijd,' mompelt hij verslagen.

Inmiddels zoekt Roel z'n spullen bij elkaar en heeft nog het lef om over zijn salaris te spreken, maar oude Henry pakt hem bij zijn kraag en zet hem buiten de deur.

Het gezicht van de oude trainer is vertrokken van verdriet. 'Verdwijn, voordat ik jou eigenhandig een pak slaag geef, kwajongen. Hoe durf je over geld te spreken, je hebt meer onheil aangericht binnen dit bedrijf dan goed gedaan.'

Roel ziet aan het gezicht van de oude baas dat hij inderdaad beter kan vertrekken.

Het is doodstil in de keuken als ze de brommer van Roel horen wegrijden.

Philip haalt een map uit zijn bureau, gaat aan tafel zitten en bladert door de papieren. Eén keer, nog een keer en dan staat z'n gezicht nog strakker.

'Margot, wanneer zijn de verzekeringen van de paarden verlengd?' vraagt hij aan zijn echtgenote.

Margot haalt haar schouders op. 'Geen idee, Philip, dat doe je toch altijd zelf!'

Philip pakt een vel papier uit de map en legt die open op tafel. 'Dat mag dan wel zo zijn, maar deze polis is verlopen! We krijgen geen cent van de verzekering.'

Margot laat van schrik de koffiepot uit haar handen glijden en met een klap valt de pot in gruizels.

'Dat is een ramp!' zegt Jan Verboom op matte toon. 'Wat nu?'

Philip wrijft over z'n ogen. 'We moeten een paard in de race hebben, we moeten een kampioen hebben…!' Er klinkt wanhoop door in zijn stem.

'Caprilli. We hebben de schimmel toch nog, en Jella,' somt Jan op.

Philip schudt zijn hoofd. 'Jella is nog net geen drie jaar, al zal de wedstrijdleiding daar niet over vallen, maar de merrie heeft veel te weinig ervaring.'

'Caprilli, tja, Caprilli is nu eenmaal onberekenbaar, hij kan winnen maar ook glorieus als laatste over de eindstreep komen,' meent oude Henry.

Anika loopt ietwat verloren over het terrein van de Olde Bongerd. Ze zou zo graag willen helpen. Ze loopt naar Jella, die enthousiast in de wei dartelt. Voor hetzelfde geld lag die nu begraven in de achterste wei. De tranen springen Anika weer in de ogen.

'Je renmaatje is dood, Jella, door Roel niet goed gezadeld. Jurre zal nooit meer een race winnen,' zegt ze triest.

Jella drukt haar gevoelige neus tegen Anika aan, alsof zij begrijpt dat er iets vreselijks is gebeurd.

Ineens hoort ze een bekende stem naast zich. 'Mensenkinderen, Anika, jij trekt een gezicht alsof de wereld is vergaan.'

Ze draait zich om en kijkt in de lachende ogen van Dicky Strijbos. Ze kan er niets aan doen, maar alle emoties van deze dag komen eruit en Anika huilt alsof haar hart zal breken.

'Hé, is dit een begroeting voor een goede vriend?'

sust Dicky, terwijl hij Anika dicht tegen zich aan houdt en haar over de goudblonde haren strijkt.

'Vertel, wat is hier aan de hand?'

Dicky Strijbos is nog niet in de keuken geweest, dus weet hij niet wat zich de laatste uren heeft afgespeeld.

Hortend vertelt Anika over het drama met Jurre. De jockey kijkt ernstig. 'Wat een ramp voor de Olde Bongerd, zegt hij bewogen. 'Jurre beloofde zo'n sterk paard te worden, hij had het in zich om een kampioen te zijn.'

'Geen wonder dat je van streek bent, maar gelukkig bestaat er een verzekering.' Anika vertelt dat de verzekeringspolis is verlopen; dus geen uitkering.

Dicky bijt op zijn lip. 'Rampzalig. En hoe moet het nu met die belangrijke race, zetten ze Jella in?'

Anika verklaart dat Jella volgens de Olde Bongerd-bewoners, te weinig ervaring heeft voor zo'n zware koers.

'Mm, en Caprilli is ook niet geschikt, te wispelturig,' merkt Dicky op. 'Dat is het einde van een droom,' vervolgt hij triest, terwijl hij met één hand over Anika's haar blijft strelen en met de andere in Jella's manen kroelt.

'Weet jij geen oplossing?' vraagt Anika hoopvol.

'Er zijn geen paarden meer op de Olde Bongerd die zo'n zware race aankunnen,' meent Dicky. 'Er is er wel een, maar die loopt wat kreupel bij een blond meisje in de wei.'

'Lucky?' vraagt Anika.

Dicky knikt. 'Lucky had alle power in zich die een driejarige maar kan hebben, helaas ook onmogelijk.'

Anika veegt de tranen uit haar ogen en zegt: 'Het is het proberen waard!'

Dicky kijkt verbaasd naar Anika de Korte, die ineens weer strijdlust heeft.

'Blijf je hier eten? Misschien vrolijk je de stemming wat op. Ik moet even bellen, tot straks!'

Weg is Anika, Dicky verbijsterd achterlatend.

De Olde Bongerd ligt de volgende ochtend in een nevel te dromen alsof er zich gisteren geen ramp heeft afgespeeld.

Anika heeft een bos veldbloemen op het graf van Jurre gelegd en het was geen eenvoudige zaak om in slaap te komen. Hoe zou ze de mensen hier kunnen helpen?

Margot heeft diepblauwe kringen onder haar ogen als zij het ontbijt klaarmaakt en Philip doet niets anders dan over zijn ogen wrijven.

Dit vakantiebezoek is wel heel anders dan Anika zich had voorgesteld.

Al is Jella aanwezig, alles lijkt triest en onecht, zoiets als een nare droom, maar die ben je 's morgens weer snel vergeten, dit niet! De dokter heeft Jan Verboom strikte rust voorgeschreven, dus is Anika alleen met oude Henry in de stal. De oude trainer hoeft het meisje niet aan te sporen om aan te pakken.

Anika vindt het opruimen van de boxen en het verzorgen van de paarden een welkome afleiding om het verdriet even te vergeten.

'Waarom wil Philip Jella niet laten koersen, ze is toch snel genoeg?' meent Anika.

Henry fronst zijn voorhoofd en zucht diep. 'Ze is nog te onervaren en loopt daardoor een groot risico, maar Jella is de enige die het verlies van Jurre goed kan maken,' zegt de oude jockey.

Anika vlecht de roomkleurige manen van de merrie en zegt: 'Jella kan misschien geen eerste worden, maar een derde plaats levert toch ook geld op!'

'Kom eens even hier zitten, Anika,' zegt de jockey, hij wijst op de dichtstbijzijnde strobaal.

'Philip heeft geen enkele kans om verder te gaan op de Olde Bongerd als er niet snel een fiks bedrag in kas komt om de lopende zaken te bekostigen. Begrijp je?'

'Dat begrijpt een kind, maar wat heeft mijn Jella daar mee te maken?'

De trainer wrijft over zijn ogen. 'Anika, beloof je mij dat je als een volwassene naar me zult luisteren en niet zult weglopen?' Anika knikt. Waarom heeft Henry nou zo'n triest gezicht?

'Philip krijgt vanmiddag bezoek van een rijke Amerikaan en als het doorgaat vertrekt Jella met hem naar Amerika om daar te gaan koersen. Daardoor kan de Olde Bongerd weer verder,' zegt Henry eenvoudig.

Anika zit als versteend. Jella, jij niet, roept er iets binnen in haar. Jella naar Amerika, dat betekent een afscheid, misschien wel voor altijd. Een Olde Bongerd zonder Jella verliest alle aantrekkingskracht, en waarschijnlijk zal ze hier dan nooit meer komen.

Dat alles flitst door haar hoofd, terwijl haar blauwe ogen zich met tranen vullen.

Oude Henry snuft nadrukkelijk. 'Ik zou alles willen doen om deze verkoop te verhinderen, maar Philip heeft mij inzage gegeven in z'n zaken en er is geen andere uitweg. Jurre had de uitkomst kunnen zijn, maar dat is nakaarten. Het doet mij ook zo'n pijn.'

Anika gaat staan, ze pakt een borstel en zegt met een stem waaruit alle gevoel is verdwenen: 'Dan zal ik haar maar opknappen, een verzorgd paard brengt waarschijnlijk meer geld op.'

Ze houdt zich goed totdat Henry naar de andere kant van de stal is gegaan, verbaasd door haar manier van reageren.

Anika neemt het nogal goed op, wat vreemd, denkt hij bij zichzelf. Maar hij ziet niet de wanhoop waarmee Anika al haar verdriet uitsnikt tegen de brede borst van haar merrie.

'Jella, jij mag niet naar Amerika, dan kan ik je nooit meer zien,' snikt het meisje.

Ze huilt totdat ze leeg en uitgeput bij Jella in de box gaat liggen en in slaap valt.

Als de rijke Amerikaan, met de welluidende

naam George W. Warton, zich door Philip laat rondleiden door de stallen, slaapt Anika nog steeds.

De Amerikaan is behoorlijk onder de indruk van Jella's verschijning en als hij vraagt of hij de merrie misschien kan zien draven, ontdekt Philip Anika.

Hij seint oude Henry dat die Jella naar het entrainement moet brengen.

Anika wordt wakker doordat het licht pal in haar ogen schijnt. Ze mist Jella en vliegt overeind. 'Waar is mijn Jella?' Ze klampt zich vast aan de arm van Philip.

'Kalm, meisje, Jella is op de trainingsbaan met oude Henry,' sust Philip.

Hij kijkt langs Anika heen om niet de wanhoop in haar ogen te zien.

'Kom, pak haar racezadel en help me,' zegt hij wat kort. Als in trance volgt Anika Philip Antony naar de zadelkamer en daarna naar de oefenbaan.

Oude Henry ziet de leegte in Anika's ogen en begrijpt dat het meisje doodongelukkig is.

Jella draaft binnen een zeer acceptabele tijd en George W. Warton zegt dat hij Jella wil hebben. 'We moeten het alleen nog eens worden over de prijs,' zegt hij glimlachend. 'Ik wil de merrie graag meenemen naar Amerika, maar niet tegen elke prijs!'

'Mm, een zakenman,' mompelt oude Henry, terwijl hij Jella een deken over de rug gooit.

'Breng jij je lieveling naar haar box?' vraagt de jockey.

Anika knikt met een stijf toegeknepen mond.

Margot komt de stal binnen met de vraag of Anika Dicky wil terugbellen en zij schrikt van de afwezigheid en leegheid in het gezicht van het meisje.

Margot voelt zich miserabel en schuldig dat zij dit Anika moeten aandoen, maar alles is al geprobeerd en alleen de verkoop van Jella kan het bedrijf redden.

'Ik moet eerst Jella verzorgen, daarna bel ik hem wel terug,' zegt ze mat.

De eigenares van de Olde Bongerd knikt en loopt met langzame passen terug naar huis, waar inmiddels druk wordt onderhandeld over de prijs voor Jella.

Philip, die normaal niet zó'n handelaar is, houdt thans vast aan het door hem gevraagde bedrag.

George Warton fronst zijn voorhoofd. 'Het is maar een driejarige, ik wil niet zoveel geld uitgeven voor een jonge merrie,' zegt hij nadrukkelijk.

Volgens het spel van koop en verkoop moet Philip nu eigenlijk iets in prijs zakken, maar hij doet het niet. Als Jella van de Olde Bongerd weg moet, dan voor de hoogste prijs.

George W. Warton kijkt verbaasd. Er volgt geen verlaging van het bedrag, hoogst ongewoon. Zou dit paard dan écht iets bijzonders zijn?

Hij accepteert een kop thee en begint opnieuw te onderhandelen, maar Philip wijkt niet. George Warton legt zijn visitekaartje op tafel en schrijft er een telefoonnummer bij. 'Ik logeer in het Gouden Hert tot het einde van deze maand. Ik vind dat u overvraagt en ben bereid dit bedrag voor Jella te betalen.' Hij schrijft het bedrag op. 'Geen dollar meer, het is een flinke prijs voor een driejarige. Indien u akkoord gaat met mijn aanbod, bel me dan.'

George W. Warton hijst zich overeind, bedankt hoffelijk voor de thee en zegt dan zuurzoet dat hij hoopt toch nog zaken te kunnen doen.

Een sportwagen staat voor de Olde Bongerd en dan zien ze alleen de uitlaat van de auto en een grote stofwolk.

Philip is op de bank neergezakt. 'Hij heeft gelijk, weet je, zijn aanbod is meer dan goed voor Jella, maar iets houdt mij tegen.'

Margot knikt. 'De verslagenheid in de ogen van Anika, ik heb het ook gezien. Maar wij hebben geen alternatief, Philip, je zult het bod moeten accepteren. Ik vind het ook verschrikkelijk, maar de realiteit is niet anders.'

Anika komt de keuken binnen. 'Wanneer komt hij Jella ophalen?' vraagt ze mat.

'Dat hangt nog, we hebben nog geen overeenstemming over de prijs,' zegt Philip en zijn stem klinkt schor.

Dicky Strijbos neemt onmiddellijk de telefoon op. 'Hoi Anika, ik heb het thuis nog eens over de problemen op de Olde Bongerd gehad. Wat is er...? Je stem klinkt zo vreemd. Laat maar, ik kom eraan.'

Dicky heeft beslist een record gebroken, want binnen een kwartier staat hij op de stoep van de Olde Bongerd. Als hij Anika in de ogen kijkt, ziet hij dat haar wereld is vergaan.

'Jella verkocht? Dat is onvoorstelbaar. Is de koop dan al rond?' informeert de jonge jockey.

Anika schudt haar hoofd.

'Dan blijft er niets anders over dan ons plan te proberen, plan Lucky!'

Anika kijkt haar vriend aan.

'Ik heb er met pap en Kick over gesproken, medisch is er met Lucky niets meer aan de hand. We hebben nog veertien dagen, wat heb je te verliezen?'

Anika knikt mat, al is de kans miniem, ze moet het proberen.

'Ik ga eens even bij Philip uitvissen wanneer hij moet beslissen. Hij heeft die rijke Amerikaan vast overvraagd,' lacht de donkerharige jockey.

'Kom, Anika de Korte, we moeten aanpakken, niet alleen de Olde Bongerd, maar ook Jella staat op het spel!'

Hoofdstuk 4

Alles op één kaart

Anika heeft die avond een lang gesprek met oude Henry en niemand, ook Philip niet, komt te weten waarover het gaat.

De oude trainer heeft haar beloofd te zullen helpen.

'Je weet, Anika, dat er grote risico's aan verbonden zijn, daarom moeten we Kick wel in ons grote geheim betrekken. Jan Verboom is geen probleem, hij zal hier voorlopig niet kunnen komen. Ik zelf zal Jella trainen, voor het geval dat Philip haar toch nog in wil zetten voor de grote prijs, dat is meteen een prachtige camouflage voor wat we werkelijk aan het doen zijn.'

Oude Henry heeft er weer zin in.

Kick Kramers schudt zijn hoofd als hij van het riskante plan hoort, maar als Anika iets in haar hoofd heeft, heeft ze het niet ergens anders.

Er zijn nog maar veertien dagen te gaan en daarom stelt Henry een strak schema op en Anika is iedere ochtend vroeger dan vroeg in de stal te vinden.

Lucky heeft de box van Jurre gekregen, naast die van Jella.

De zwarte hengst blaakt van levenslust nu hij iedere morgen door oude Henry en Anika naar de oefenbaan wordt gebracht. Hij trekt nog iets met z'n been, maar het wonderlijke is dat je daar tijdens het draven niets van merkt.

Het enige probleem dat Lucky heeft is angst.

Oude Henry heeft uitgelegd dat Lucky door de val een shock heeft gehad en iedere keer als hij hard draaft komt die herinnering weer boven.

'Geduld en liefde. Het is sowieso al bijzonder dat je Lucky weer zover hebt gekregen. Die meneer Van den Berg krijgt de pest in als hij jullie zo ziet, wat zal hij een spijt hebben van zijn goedgunstigheid,' lacht oude Henry.

Henry berijdt af en toe Jella en samen draven de paarden dan over de baan, maar Lucky wint de strijd gemakkelijk van Jella.

Oude Henry heeft van Kick een speciaal leren hulpstuk gekregen om Lucky's been te beschermen.

'Het is een wonder wat dit paard al weer kan,' zegt hij tevreden.

'Liefde doet wonderen, Kick,' lacht de oude trainer, terwijl hij naar Anika wijst. 'Dat kind krijgt alles van haar paarden gedaan.'

Kick kijkt ernstig, hij vindt de gedachte die achter het plan steekt een beetje angstig. Philip heeft hem verteld dat Jella te koop is aangeboden en dat hij voor het einde van de maand de zaak moet afronden.

Anika leeft met de gedachte dat Lucky misschien wat prijzengeld kan winnen om zodoende de verkoop van Jella te voorkomen.

Stel je voor dat Lucky niet in de prijzen valt, dan is de klap dat Jella toch moet worden verkocht, dubbel zo groot.

Het smalle gezicht van Anika baart hem zorgen en dat heeft hij Dicky Strijbos ook al gezegd.

'Dat kind leeft op een vulkaan, realiseren jullie je dat niet?'

Dicky heeft alleen geknikt. 'Er is maar één ding dat Anika wil en dat is Jella op de Olde Bongerd houden. Ik steun haar zoveel ik kan, maar Anika hoort en ziet niets, het is alleen Jella en Lucky!'

Naarmate de dag van de koers nadert wordt oude Henry nerveuzer.

'We moeten hem inschrijven in plaats van Jurre en jij, jongedame, gaat de komende dagen vroeg onder de wol, anders haal je de race niet,' zegt hij tegen Anika, die er breekbaar uitziet.

Joy Strijbos, de zus van Dicky, verschijnt regelmatig op de Olde Bongerd. Ze heeft net weer een aantal races in Engeland gewonnen en geeft Anika steun met haar verhalen.

Lucky is in optimale vorm en laat zich vol enthousiasme door Anika berijden.

Dicky heeft de inschrijving verzorgd en brengt de lijst waarop de deelnemers staan vermeld.

Anika weet niet dat die namen oude Henry en Dicky Strijbos grote zorgen baren, want er staan een aantal keien bij, maar dat verzwijgen ze voor haar.

De avond vóór de beslissende race zitten ze rond de tafel, Dicky en Joy zijn ook van de partij, als oude Henry ineens tegen Philip zegt: 'Ga jij morgen nog naar de race?'

Margot sluit stijf haar lippen op elkaar.

'Wat hebben we daar nog te zoeken?' klinkt de stem van Philip bitter. 'Ik moet morgenavond Warton bellen om de verkoop rond te maken.'

'Dat is morgenavond en de race is morgenochtend,' zegt oude Henry hardnekkig.

'Goed, oude zeur, ik ga met je mee. Kan ik eens kijken of er redelijke paarden lopen,' zegt Philip met een lach.

'Dat kun je wel zeggen,' meent oude Henry met een knipoog naar Anika. Voor het eerst breekt de spanning en iedereen lacht.

'Kom, ik ga eens naar boven,' zegt Anika.

'Ik kom je morgenvroeg afhalen,' belooft Dicky Strijbos.

'Gaan jullie ook naar de race?' vraagt Margot ietwat bevreemd.

'Zeker! En Henry, wil jij Jella voor me welterusten zeggen?' vraagt Anika.

Oude Henry knipoogt. 'Ik geef haar een kus op haar fluwelen neus,' belooft hij lachend.

Jella, die niet door Anika zelf wordt verzorgd? Margot fronst haar voorhoofd. Zou Anika toch al langzaam afstand nemen van haar lieveling? Dat kan ze zich niet voorstellen, want zo'n eenheid heeft ze nog nooit meegemaakt.

Anika verdwijnt naar boven, terwijl Joy Margot met de afwas helpt. 'Er lopen toch geen paarden van jullie mee, morgen?' vraagt ze aan de jockey.

'Wij hebben geen belangrijke driejarigen op de stoeterij,' antwoord Joy.

'Waarom komt Dicky morgenvroeg Anika dan afhalen? Ik begrijp er niets meer van.'

'Margot, weet jij nu dan nog niet dat onze Dicky smoorverliefd is op Anika de Korte?' lacht Joy uitbundig.

'Ach, Anika is nog een kind,' zegt Margot geschrokken.

'Nee hoor, Margot, je hebt het helemaal mis, kijk maar eens diep in haar blauwe ogen. Jij gaat dus morgen niet mee naar de baan?' informeert Joy.

Margot schudt onwillig haar hoofd. 'Ik zou in gedachten Jurre tussen de andere paarden zien en dat doet me pijn, Jurre was zo'n superpaard,' ze zucht diep.

'Het is hard,' knikt Joy. 'Maar er is niets meer aan te doen.'

Dicky en Joy vertrekken van de Olde Bongerd en Anika staat achter het gordijn en ziet hen gaan.

'Welterusten, vrienden, duim voor me,' zegt ze zacht, terwijl ze haar paardrijbroek klaar legt.

Ze is opvallend rustig. Ze moet slapen zonder te piekeren, niet meer aan goudharige Jella denken, alleen slapen tot ze morgen door oude Henry wordt gewekt.

Met de gedachte dat die haar en Lucky begeleidt, valt Anika snel in een diepe slaap.

De volgende morgen wordt ze tamelijk uitgerust wakker. Ze kleedt zich zorgvuldig, want dit wordt een belangrijke dag, het is alles of niets!

Fluitend rent ze de trap af. Margot kijkt verdwaasd naar de renblouse die Anika draagt.

Op het moment dat zij haar mond wil opendoen, komt oude Henry de keuken binnen.

'Goedemorgen, Anika, het is gelukkig droog. Jella is verzorgd en je andere schoonheid staat al in de trailer. En nu een stevig ontbijt! Margot, geef haar een paar boterhammen extra, anders valt ze straks misschien uit het zadel.'

Margot kijkt van de één naar de ander. 'Wil iemand mij misschien vertellen wat zich hier afspeelt?'

'Dat wil ik ook graag weten!' Philip komt de trap af en staart naar Anika alsof ze van een andere planeet is gekomen.

'Wat zijn jullie van plan en waarom zijn wij niet op hoogte gebracht?'

Oude Henry grinnikt. 'Luister! Anika heeft Lucky weer zover dat hij kan draven.'

Margot en Philip gaan verbijsterd op de bank zitten. 'Lucky?'

Anika knikt. 'Ik wil niet dat Jella naar Amerika verkocht wordt, dan zie ik haar nooit weer. Als ik met Lucky een prijs win, kan Jella toch blijven?'

Philip schudt zijn hoofd. 'Anika, Lucky is kreupel en kan daarom nooit meer draven!'

Oude Henry schenkt een kop thee in voor Anika en lacht. 'Nooit meer draven? Dat zal je vandaag zien! Maar opschieten nu, we moeten op tijd aanwezig zijn.'

Philip weet niet wat hij ervan moet denken, hij voelt zijn maag samentrekken bij het idee dat het een mislukking wordt. Aan de andere kant, wat valt er te verliezen? Oude Henry en Anika hebben zich ingezet om iets voor de Olde Bongerd te doen, dus...

Dicky Strijbos steekt zijn hoofd om de deur. 'Ben je klaar, Anika, het is tijd om te vertrekken.' Hij geeft haar een roos. 'Deze heb je alvast gewonnen, nu de rest nog!' lacht hij.

Anika haalt nog even een borstel door het haar, kust Margot en volgt Dicky naar de trailer.

Wat gek, ze heeft geen kriebels in haar maag en geen vlinders in haar buik, Anika is doodkalm. Kalm als ze in de auto stapt en kalm als ze de renbaan bereiken.

Dicky Strijbos kijkt naar Anika en verbaast zich. Hij haalt Lucky uit de trailer en brengt hem naar z'n tijdelijke box.

Inmiddels zijn Philip en oude Henry ook gearriveerd. Anika glimlacht als ze ziet dat Kick Kramers en Fenna Ridderbos nog even naar Lucky komen kijken.

'Je kunt trots zijn, Anika de Korte, op wat je hebt

verricht,' zegt Kick, terwijl hij naar Lucky wijst. 'Die rebelse duvel is in een optimale vorm, maar denk er aan dat de angst diepgeworteld is, de val vond plaats nadat hij met veel geweld naar voren werd gestuurd. Je hebt gezien dat z'n jockey de zweep niet spaarde. Probeer te voorkomen dat Lucky wordt ingesloten, want dan raakt hij in paniek en kun je het verder vergeten.'

Dicky Strijbos geeft Anika een racehelm en zegt hartelijk: 'Meisje, we zullen voor je duimen.'

Philip bijt op z'n lip en het lijkt alsof hij nog advies wil geven, maar hij kijkt naar oude Henry en steekt alleen z'n hand op en zegt schor: 'Tot straks, na de koers.'

Oude Henry controleert Lucky's bandages en brengt het leren hulpstuk op z'n plaats. 'Weet je eigenlijk dat Kick dit orthopedisch ding speciaal voor jouw Lucky heeft laten vervaardigen?' zegt de oude trainer.

Anika kijkt verbaasd. 'Dat moet een flinke cent hebben gekost, en jonge veeartsen verdienen nog niet zoveel. Fijn om zulke vrienden te hebben!'

Oude Henry kijkt nadenkend in de helderblauwe ogen van Anika. Hijzelf heeft hartkloppingen als hij aan de koers denkt, maar dit kind meent dat ze alles kan omdat ze Jella voor de Olde Bongerd wil behouden.

Terwijl de bel voor de tweede koers klinkt, vraagt Anika: 'Henry, zijn er paarden in mijn koers die erg snel zijn?'

De oude trainer lacht. 'Kind, dit is niet zomaar een race, de beste driejarigen uit de diverse stallen staan ingeschreven. Je moet er rekening mee houden, Anika, dat de concurrentie erg groot zal zijn. Kom, het is tijd om naar de start te gaan,' vervolgt hij en voelt zijn maag samenkrimpen als hij Lucky naar buiten voert.

Anika trekt haar handschoenen aan en controleert nog even of de stijgbeugels hoog genoeg zijn opgebonden. Ze duwt haar blonde lokken onder de helm en stijgt op de rug van Lucky.

Door verschillende jockeys wordt nogal schamper gereageerd als ze zien dat Lucky weer aan de start staat. Hij hompelt inderdaad nog iets, maar niemand weet dat het verdwijnt als hij draaft.

Eenmaal achter de starthekken constateert Anika dat zij op een gunstige plaats aan de binnenkant staat. Het veld bestaat uit een vijftiental paarden, die bij het startsignaal als een pijl uit de boog wegvliegen.

Anika merkt dat Lucky opgewonden is en verschrikkelijk hard naar voren gaat. Het kan zijn dat het gewoon plezier is, maar ze hoort in gedachten de waarschuwing van Kick en kijkt zorgvuldig om zich heen.

Zolang Lucky niet is ingesloten, dreigt er geen gevaar. Ze ziet twee tegenstanders naderen en drijft Lucky voorzichtig naar voren, dat gaat gemakkelijk. Eén paard flitst aan de buitenkant langs hen heen.

Anika voelt de kramp in haar benen en haar handen doen pijn van het stevig vasthouden van de teugels.

'Kom, Lucky, doe het voor mij, we moeten wat winnen,' roept ze tegen de hengst.

Dan volgt het laatste rechte stuk van de baan, achter zich hoort ze het roffelen van de paardehoeven, vóór haar is maar één paard, roomkleurig, en die is niet meer in te halen.

Als ze door de finish zijn, begint Lucky weer wat te kreupelen en Anika laat zich uit het zadel glijden. Oude Henry komt aanhollen zo snel hij kan en kust Anika op beide wangen, waarna hij een deken over de rug van Lucky gooit.

'Kom, we zullen deze jongen eerst even op stal zetten,' zegt hij op schorre toon.

Dicky en Joy, Philip, Kick en Fenna, allemaal verschijnen ze in de tijdelijke box van Lucky.

'Een tweede plaats, hoe is het mogelijk voor een paard dat ten dode was opgeschreven,' zegt Philip hoofdschuddend.

'Heb ik genoeg gewonnen om Jella op de Olde Bongerd te houden?' vraagt Anika. Haar gezicht is wit van de doorstane emoties.

Philip kijkt ontroerd. 'Maar meisje, Lucky is van jou, je kunt toch niet zomaar je prijzengeld weggeven?'

Er straalt een bijzonder licht in de ogen van Anika als ze zegt: 'De Olde Bongerd en Jella zijn ook een beetje van mij en als Jella niet naar Amerika gaat, dan ben ik gelukkig en heb ik geen geld nodig.'

'Jij misschien niet, maar ik wel!' klinkt het ineens achter hen in de box. Daar staat, met een boos gezicht, de vroegere eigenaar van Lucky, meneer Van den Berg.

'Jullie hebben mij bedrogen, dit paard zou nooit meer kunnen lopen, laat staan draven, en wie schetst mijn verbazing, Lucky is sneller dan ooit, maar hij is nog altijd officieel mijn eigendom.'

Kick stapt naar voren. 'Nee, meneer Van den Berg, u hebt Lucky weggegeven en daar zijn heel wat getuigen van. U kunt hem niet meer als uw eigendom beschouwen en de foto's die van de breuk zijn gemaakt, bewijzen des te meer. Het is een groot wonder dat Lucky nog kan lopen, en wat we vandaag hebben gezien, is gewoon een staaltje van paardeliefde. Anika heeft nu eenmaal die eigenschap en voor haar wil Lucky graag weer de baan op.'

Het is stil geworden in de box.

Meneer Van den Berg wijst naar Anika. 'Jij bent een handige jongedame en ik ben een sufferd,' zegt hij kort. Dan verdwijnt hij, de groep verbaasd achterlatend.

'Zo, dat was dat,' zegt Dicky Strijbos opgelucht. 'Kom, we gaan naar de commissie om je premie in ontvangst te nemen.' Hij troont Anika met zich mee.

'Ik denk zelfs dat je een rozet voor Lucky krijgt

en een medaille, je weet niet half wat voor belang-rijke race je gereden hebt.'

Anika zweeft. Zo kalm als ze voor de wedstrijd was, zo nerveus is ze nu. Het zal wel een reactie zijn op de spannende voorgaande twee weken. Haar be-nen voelen sponzig en ze heeft hartkloppingen

'Anika, Anika, wat is er, voel je je niet goed?' klinkt het bezorgd. Ze glimlacht flauwtjes, ze heeft maar één wens, slapen, heel lang slapen.

Als in een droom pakt ze de prijzen aan, inder-daad een fraai lint met rozet voor haar paard, een medaille en een cheque. Later kan ze zich amper herinneren hoe ze thuis is gekomen.

Ze weet nog vaag dat Margot haar warme melk heeft gegeven en dat Dicky haar naar boven heeft gedragen, daarna niets meer...

Anika de Korte is ingeslapen en als ze wakker wordt is het al middag en ligt de beruchte race al een dikke dag achter haar. Anika ziet de zon door de gordijnen en ze schuift het raam wijd open. Wat heeft ze geslapen!

Al haar spieren protesteren.

Plotseling wordt haar duidelijk dat ze Jella voor-lopig heeft gered. Ze bijt nadenkend op haar lip. Ze moet Lucky hier maar op de Olde Bongerd laten, zodat hij meerdere koersen kan lopen, dan voelen ze het verlies van Jurre ook niet zo erg. Anika glim-lacht, dat is de oplossing! Als Lucky koerst, kan Jella blijven!

Ze recht haar smalle rug en rent in pyjama naar

beneden. Nu kan ze weer echt van de vakantie genieten. Ze zal vanmiddag een ritje op Jella maken en na het eten zal ze vertellen dat Lucky op de Olde Bongerd blijft wonen.

Margot kijkt verbaasd op als Anika zo enthousiast en uitgerust naar beneden stormt.

'Je had heel wat slaap in te halen, is het niet? Ik ben meerdere keren boven geweest, maar je was heel ver weg. Ik zal je ontbijt maken, al is het bijna lunchtijd.'

Anika knikt. 'Heeft Philip je verteld hoe goed Lucky heeft gelopen?'

Margot knikt. 'Hij heeft me verteld dat jij een wonder hebt verricht, je bent een bijzonder kind, Anika de Korte.'

Hoofdstuk 5

Eindelijk vakantie!

Het lijkt erop dat de rust is weergekeerd op de Olde Bongerd. Philip loopt te fluiten en zit vol plannen en eigenlijk is Anika de enige die regelmatig naar het graf van Jurre gaat. Ze vertelt het paard hoe alles is verlopen en het klinkt misschien raar, maar volgens Anika kan Jurre haar horen praten. Ze legt hem uit dat Lucky in zijn plaats zal koersen en zegt met een verdrietige stem dat niemand Jurre zal vergeten.

Oude Henry ziet Anika 's morgens naar het graf gaan, maar hij zegt er later niets van, hij weet dat het blonde meisje niet zo eenvoudig een gestorven paard uit haar gedachten kan bannen. Vriendschap is voor Anika de Korte niet aan tijd gebonden.

Tijdens het avondeten komt Anika met haar plan op de proppen om Lucky op de olde Bongerd te laten.

'Anika, dat paard is veel geld waard, dat ben je je toch wel bewust neem ik aan?' zegt Philip Anthony.

Anika knikt. 'Tuurlijk, hij zal de haver voor Jella gaan verdienen, het lijkt mij een eerlijke ruil.'

Anika weet niet dat de verleiding om Jella te verkopen erg groot is geweest voor Philip, want Warton had uiteindelijk de vraagprijs geaccepteerd. Hij was zeer gepikeerd toen Philip hem belde met de mededeling dat Jella niet meer te koop was.

Philip kijkt over de tafel naar zijn vrouw.

'Ik kom toch regelmatig hierheen en kan misschien nog een paar koersen met hem lopen,' argumenteert Anika als zij merkt dat de Anthony's aarzelen om haar aanbod te aanvaarden.

Na het eten vraagt Anika of ze haar twee vriendinnen nu mag uitnodigen voor een weekje.

Margot lacht. 'Dat heb je wel verdiend, want van de vakantie heb je nog niet kunnen genieten.'

Jos Kramers is eerst wat terughoudend aan de telefoon, ze had al veel eerder een uitnodiging verwacht, maar ze weet immers niet wat voor narigheid zich allemaal op de Olde Bongerd heeft afgespeeld.

'Morgen kunnen we dus komen? Prima, zullen we de tent meenemen?'

Anika zegt: 'Graag, dan kunnen we gezellig kamperen. Fijn dat jullie komen!'

Kick zal de twee meisjes brengen met z'n rode monster en Anika loopt 's avonds nog even naar Jella om haar te vertellen dat Jos en Loes morgen komen.

'Hoi, Anika, hier zijn we eindelijk.' Jos Kramers is drukker dan ooit. 'Zullen we eerst de tent opzetten?'

Loes van Meerwijk grinnikt. 'Het zou eleganter zijn als we eerst Margot en Philip gaan begroeten,' zegt ze op droge toon.

Jos krijgt een kleur. Ze is zo opgewonden dat ze weer op de Olde Bongerd is.

Kick schudt zijn hoofd. 'Je hebt geluk dat mam je niet hoort, denk om de goede manieren, zus!'

Jos lacht. 'Jullie hebben gelijk. Daar komt Margot

al.' Ze begroeten elkaar hartelijk en horen dat Philip op het entrainement met Caprilli aan het werk is.

'Ik denk dat we de tent het beste in de achterste wei kunnen zetten, daar staan we niemand in de weg, vind je niet?' vraagt Anika aan Margot.

'Jij denkt: hoe verder weg des te minder controle?' plaagt Margot.

Anika krijgt een kleur.

'Is rustiger voor de paarden,' verbetert Anika.

'Je gaat je gang maar, jongedame,' lacht Margot. 'Ik zie jullie wel tijdens de lunch.'

Wat hebben de drie vriendinnen elkaar veel te vertellen.

Jos is nog wel een beetje gepikeerd omdat Anika zo weinig heeft gebeld, maar als ze hoort wat er zich hier allemaal heeft afgespeeld, klakt ze meelevend met haar tong.

'Wat een toestanden. En Jella?'

'Jella is mooier en sneller dan ooit. Philip wacht op de grote kans om Jella uit te laten komen,' vertelt Anika opgetogen. 'Zullen we de tent hier opzetten?'

Dan valt Loes haar oog op de grafheuvel met bloemen. 'Jakkes, Anika, wil je hier kamperen?'

Anika haalt haar schouders op. 'Waarom niet, Jurre merkt er niets meer van. Het is een prachtig veld en we zitten niet al te dicht bij de Olde Bongerd.' Ze kijkt Loes aan en zegt: 'Ik vind je korte haar hartstikke te gek staan.'

Loes krijgt een kleur. 'Thuis beginnen ze iets te

kalmeren, maar wat heb ik op m'n huid gehad. Het leek wel alsof ik een misdaad had gepleegd. Dit koppie is echter lekker fris en ik heb veel meer tijd om wat anders te doen,' zegt ze opgewekt.

'Dat neem ik graag aan,' lacht Anika.

Jos probeert de tent op te zetten, maar de tent-stokken vallen telkens om.

'Ik weet het niet meer hoor, iets is er anders dan op de tekening!'

Anika proest het uit. 'Ik weet niet veel van ten-ten, maar je houdt de tekening wel ondersteboven!'

Jos verschiet van kleur. 'Ik ben ook wel een handige ster, maar goed dat jij erbij bent,' bekent ze.

'Je kunt niet overal handig in zijn,' meent Loes van Meerwijk, terwijl ze met een ferme klap de haringen de grond in drijft.

'Zo, die kunnen geen kant meer op,' zegt ze tevreden.

'Pff, het is warm vandaag, ik trek een korte broek aan.' Ze neemt als het ware een duik in haar plunje-zak en komt met een rood hoofd weer boven water.

'Ik heb Jan Verboom nog niet gezien,' zegt Loes.

Anika vertelt dat Jan een poosje uit de roulatie is omdat zijn gekneusde ribben moeten genezen.

'Hij had gemakkelijk z'n nek kunnen breken,' zegt Jos ontzet.

Anika knikt. 'Hij heeft enorm geluk gehad, meer dan die arme Jurre.'

'Hebben jullie nog iets van dat neefje van Jan gehoord?' vraagt Loes nieuwsgierig.

'Dat niet, maar ik weet dat oude Henry 's a-
vonds heel zorgvuldig de beveiliging controleert.
Je weet maar nooit,' zegt Anika.

'Jij hebt de laatste weken heel wat meer meegemaakt dan wij,' zegt Jos spijtig.

'Jullie konden niet komen, ze zaten hier echt dik
in de moeilijkheden,' legt Anika nog een keer uit.

'Ja, dat is duidelijk,' knikt Loes. 'Geeft niet, we
zijn er nu en gaan er een superweek van maken.'

Daar heeft Anika niets op tegen. Na zoveel
spanning is een 'lachweek' een welkome afwisse-
ling.

'Zijn er paarden voor ons beschikbaar?' vraagt
Jos ineens.

'Nee, jullie moeten lopen,' plaagt Anika. 'Wat
een vraag, natuurlijk zijn er paarden. Oude beken-
den, jullie krijgen Paul en Paulientje om te berijden.'

'Mm, je kunt het minder treffen,' zegt Jos op
effen toon.

Anika grijnst. 'Ik heb trouwens nog een nieuwtje, Michelle verwacht een veulen en de vader is
Caprilli.'

'Dát moet een supersnel veulen worden,' meent
Loes.

Anika schokschoudert. 'Dat moet je nog maar
afwachten, het kleintje kan ook net zo onregelma-
tig en wispelturig in z'n gedrag zijn als zijn vader,
en daar zitten ze op de Olde Bongerd niet op te
wachten.'

'Is Philip er al achter waarom Caprilli zo grillig is?'

Anika knikt. 'Alles is geprobeerd, van een orenmuts tot oogkleppen, maar niets helpt. Het moet gewoon in het karakter van het dier zitten, hij heeft een ochtendhumeur als een oude man, verzorg je hem 's ochtends goed dan zie je hem opfleuren en krijg je alles van hem gedaan. Is er geen tijd om extra aandacht aan hem te besteden dan gedraagt hij zich als een verwend kind. Hij presteert navenant, vandaag geweldig en morgen breit hij er niets van. Niet bepaald een ster waar je altijd op kunt rekenen. Dan was Jurre heel anders. Ik heb Lucky aan de Olde Bongerd cadeau gedaan,' voegt Anika aan het relaas toe.

'Weten ze dat bij jou thuis?' vraagt Jos verbaasd.

'Ik heb er over gebeld, mijn vader was er geloof ik niet zó blij mee, maar mijn moeder vond dat ik er goed aan deed om mijn hart te volgen.'

'Zo'n paard is erg kostbaar,' zegt Jos ontzet, terwijl ze intussen haar espadrilles aanschiet. Ze is niet voor niets de dochter van een manegehouder, zij kent de waarde van zulke paarden maar al te goed. 'Ik geloof dat je niet beseft wat voor kapitaal paard je hebt weggegeven.'

Anika knikt. 'Ik weet dat Lucky veel waard is, maar Jella betekent meer!'

Jos haalt haar schouders op. 'Met jou valt over zulke dingen niet te praten, maar op een dag krijg je spijt van deze beslissing.'

Anika kijkt naar de wei waar Jella in de zon dartelt. Hoe kun je ooit spijt krijgen als daardoor Jella's verblijf op de Olde Bongerd gewaarborgd is.

'Zijn jullie klaar? Dan gaan we de paarden ophalen,' beslist Anika.

'Hé, Jan, Jan Verboom, ben je alweer hier?' begroet ze de trainer.

'Dag, Anika spring in 't veld, je hebt een klein wonder verricht, heb ik vernomen.'

Anika krijgt een kleur. Ze houdt er niet van om opgehemeld te worden, al is ze best trots dat ze Lucky weer in actie heeft kunnen krijgen.

'Ik heb een nieuwtje voor jou, Jella's grote kans komt eraan, over drie weken begint de allergrootste derby voor nieuwelingen. Ik wil dat Jella daar aan meedoet met jou op de rug, want ik ben nog wel twee maanden zoet met deze ribben.' Anika's gezicht straalt.

'Dit ga ik direct met Philip bespreken en vanaf morgen moet er dan stevig getraind worden!'

Hij ziet niet dat Jos en Loes elkaar aankijken met een blik waarin te lezen staat 'zie je wel, we zijn weer overbodig'.

'Horen jullie dat, dit is een kans voor Jella. Het kan net voor onze vakantie om is. Stel je voor dat Jella iets wint!'

'Daar gaat onze vakantieweek,' zucht Jos. 'Je hebt het gehoord, er zal flink getraind moeten worden.'

'Wat heeft dat met onze week te maken?' Anika begrijpt niets van de uitval van haar vriendin.

'We hebben de middagen om te rijden en ik neem aan dat jullie 's morgens oude Henry toch een handje willen helpen?'

Jos krijgt een kleur. Eigenlijk kan ze het beter toegeven, ze is berejaloers. Anika rolt heel eenvoudig van het ene in het andere avontuur en zij bungelen er dan maar een beetje zijdelings bij.

Anika schijnt dat gevoel niet te hebben, ze is eenvoudig gelukkig met alles, met haar vriendinnen en Jella. Ze kent geen jaloezie, daarom begrijpt ze niets van de stekelige reactie van Jos.

'Kom op, jullie verkletsen je tijd, laten we Paul en Paulientje ophalen en fijn in het bos gaan rijden,' stelt Loes voor.

'Goed, dan zadel ik Jella, goed voor de spieren van mevrouw,' lacht Anika gelukkig.

Oude Henry heeft de tweelingpaarden al gezadeld buiten staan en Jella staat er ongeduldig naast.

'Ik dacht wel dat jullie gingen rijden,' glimlacht de oude trainer.

'Anika, heb je Jan Verboom al gesproken?'

Anika glimlacht. 'Prima nieuws, hè?'

De oude trainer kijkt het drietal na terwijl ze de richting van het bos inslaan. Anika rijdt achteraan, ze heeft een kaarsrechte rug en is één met haar rijdier. Jella en Anika, wel een unieke combinatie, overdenkt oude Henry terwijl hij hen steeds kleiner ziet worden.

Het is lekker koel in het bos en de drie vriendinnen genieten met volle teugen van hun uitstapje.

Paul en Paulientje zijn schitterende paarden en zelfs Jos Kramers moet toegeven dat de paarden op hun manege niet in de schaduw van deze exemplaren kunnen staan.

Jella draaft met haar hoofd in de nek met een gelukkige Anika op haar rug.

Loes moet lachen. 'Als ik Jella zie moet ik altijd denken aan een meisje op schoolreisje. Ze ziet er zo jong uit met die vreemde witte sokken van haar.'

Anika knikt. 'Dat is al eens eerder gezegd. Jongens, ik kan de gedachte aan de koers niet uit m'n hoofd zetten. Jella's grote kans, zien jullie het voor je?'

Jos schudt haar hoofd. 'Je wist al snel dat jouw Jella iets bijzonders was, hè?'

Anika streelt de blonde manen van Jella. 'Zeker weten!' zegt ze tevreden. 'Zullen we tot de boerderij van Wellens gaan?'

Ze wijst naar een piepklein vlekje in het groene veld.

'Dat is nog een flink eind, is het niet?' vraagt Jos.

'Al moe, juffrouw Kramers, de dag is anders nog jong,' plaagt Anika.

'Dat kan wel zijn, maar mijn maag knort en dat is een alarmerend teken.'

Loes grinnikt. 'Ik wil wedden dat het bijna één uur is, je kunt de klok gelijk zetten op de maag van Jos.'

Anika kijkt op haar horloge. 'Jij hebt gelijk, Jos' maag loopt vijf minuten voor. Dan rijden we maar terug naar de Olde Bongerd, Margot zal het eten wel klaar hebben.'

Anika blaast een blonde krul uit haar ogen terwijl ze naast haar vriendinnen terugrijdt.

'Mm, je broertje is er ook weer,' merkt ze op, terwijl ze Jella en de tweelingpaarden van hun zadel ontdoet.

'Waar laat ik de zadels?' vraagt Loes.

'Laat ze maar over het hek hangen, na het eten gaan we vast nog even rijden,' meent Anika.

Kick komt met een hoofd als vuur uit de stal. 'Is Fenna ziek?' plaagt Anika.

Kick pakt haar bij een arm en zegt: 'Nee, juffertje, Michelle verwacht haar veulen te vroeg, vandaar dat ik hier rondhang.'

'Ik wist niet dat je boos werd,' grinnikt Anika, maar dan informeert ze bezorgd of een te vroege geboorte kwaad kan.

'Dat zou ik wel zeggen, net als bij mensenkinderen, en voor paarden bestaan geen couveuses.'

'Die moeten toch niet zo moeilijk te maken zijn,' zegt Anika en ze trekt een frons in haar voorhoofd.

Kick lacht. 'Ik hoor je denken, Anika de Korte.'

'Je blijft zeker eten, Kick?' vraagt Margot.

Kick knikt blij. 'Ik moet wel bij Michelle in de buurt blijven, want ik weet niet hoe snel de weeën doorzetten,' zegt hij eerlijk.

Het is weer een groot gezelschap aan tafel. 'Zo is

het gezellig,' zegt Anika tevreden en om die opmerking moet iedereen hartelijk lachen. Het kwam uit de grond van haar hart.

'Heb je nog iets van je neef Roel gehoord?' vraagt oude Henry ineens aan Jan Verboom.

Jan fronst zijn voorhoofd alsof hem een naar gevoel bekruipt en na een moment van stilte zegt hij: 'Jawel, hij kwam mij bedreigen. Ik was nog niet van hem af en ik mocht blij zijn dat ik nog hele ribben had overgehouden, maar ik wil er liever niet meer over praten.'

'Waarom vraag je dat, Henry?' vraagt Philip aan zijn oude trainer.

'Ik heb al verschillende keren een jongen bij de achterste weiden gezien en ik meende Roel te herkennen.'

'Ben je er niet zeker van?' Margot kijkt bezorgd.

'Allemaal de ogen goed openhouden,' zegt de oude baas.

'Jullie weten niet half hoeveel spijt ik heb dat ik dat jong hier ooit mee naar toe genomen heb, maar mijn zuster dacht dat de paardenwereld echt iets voor Roel zou zijn.' Hij haalt moedeloos de schouders op.

'Jij bent niet verantwoordelijk voor een ander z'n gedrag, Jan,' troost Philip. 'Jij kon niet weten dat hij de Olde Bongerd zoveel narigheid zou bezorgen.'

Daarna wordt over dat onderwerp niet meer gesproken en na het eten verdwijnen de drie vriendinnen samen met Kick in de stal. De meisjes willen graag zien hoe het met Michelle gaat.

Kick onderzoekt de merrie en zucht. 'Je schiet niet hard op, meisje,' praat hij tegen de hevig transpirerende merrie. 'Ik zal je een injectie moeten geven, want anders duurt het te lang voor je, jongedame.'

Fenna biedt aan om bij de merrie te blijven, want Kick moet eigenlijk nog naar twee andere patiënten.

Anika en haar vriendinnen lopen naar de wei, waar ze Paul, Paulien en ook Jella hebben achtergelaten. 'Gaan we nog wat rijden?' vraagt Loes.

'Ik voel meer voor een dutje in het gras,' zegt Anika. 'Ik ben zo loom als wat. Jullie mogen wel samen gaan, ik blijf hier als jullie het niet erg vinden.' Anika gaat in de wei liggen en droomt weg. De zomerzon is warm en de grasbodem onder haar is verend en zacht, een beter bed kun je je niet wensen.

Het is al laat in de middag als Anika wakker wordt. Wat heeft zij gepit, ze is er stijf van.

Jos en Loes maken zeker een behoorlijke tocht, want ze zijn nog niet op de Olde Bongerd terug.

Anika pakt het zadel van Jella op om naar de zadelkamer te brengen, als haar oog op de grazende paarden valt. Dat is gek, ze ziet Jella niet. Zou Philip haar soms opgehaald hebben voor een training?

Ze loopt naar de stal, bergt het zadel weg en kijkt voor de goede orde in de box van Jella. Nee, hier staat de merrie niet.

Langzaam loopt Anika naar de stal waar Fenna de wacht houdt bij Michelle, daar treft ze ook oude Henry.

'Henry, weet jij of Philip Jella heeft opgehaald?'

Henry kijkt verbaasd op. 'Philip is naar de Strijbossen gereden, waarom vraag je dat?'

'Jella graast niet bij de andere paarden!'

Henry lacht. 'Jij hebt geslapen, jongedame, en waarschijnlijk met je neus gekeken.'

Anika schudt haar hoofd. 'Echt niet, Jella loopt niet bij de andere paarden!'

'Ik ga met je mee,' beslist Henry. Hij is ineens ongerust, wat hangt hen nu weer boven het hoofd?

Loes en Jos komen net aanrijden als Anika en Henry bezorgd de wei inspecteren.

'Duvels, je hebt gelijk, Anika, Jella is weg!' zegt oude Henry ontzet. 'Wanneer heb je haar voor het laatst gezien?' ondervraagt hij Anika.

Deze staat te trillen op haar benen, ze heeft niet opgelet en nu is Jella verdwenen.

'Na het eten, voordat Jos en Loes hun rit gingen maken,' zegt ze verslagen.

De oude trainer kijkt op zijn horloge. 'Dat was ongeveer half drie, nu is het vijf uur, dus anderhalf uur geleden was Jella hier nog.'

'Ik ga Philip bellen en we moeten de politie maar inschakelen, want ik denk dat Jella is gestolen!'

Hoofdstuk 6

Zoekactie naar Jella

Jan Verboom en Philip zijn na het telefoontje van oude Henry onmiddellijk naar huis gereden en troosten eerst Anika, die huilend opmerkt dat zij niet goed op Jella heeft gepast.

De drie mannen kijken elkaar aan. 'Wat wil je, Philip, de politie inschakelen?' vraagt Jan Verboom. 'We denken alle drie in dezelfde richting, is het niet?'

'Roel!' zegt Henry. 'Hij weet dat hij ons goed treft als wij Jella missen, waarschijnlijk heeft hij ook iets over de komende race gehoord.'

'Kan zijn, maar waar verberg je een paard?' vraagt Philip.

'George W. Warton zou haar anders maar wat graag willen hebben,' zegt Jan Verboom grimmig.

'Kan wel, maar die is twee dagen geleden weer naar Amerika teruggegaan,' weet Philip te vertellen.

'Wat is het vandaag, dinsdag, dan is er morgen paardenmarkt, misschien moeten we daar met z'n allen naar toe.'

Oude Henry weet het zeker, Roel zal proberen Jella te verkopen.

Dicky Strijbos komt het terrein opdaveren, een ander woord daarvoor is niet te bedenken. Hij berijdt Jupiter en het machtige dier werpt klonten aarde de lucht in. 'Ik kom vragen of jullie hulp nodig hebben.'

Hij knipoogt naar Anika, die een strak koppie heeft. 'Geen zorg, Anika, we halen Jella weer terug en als ik dat jong in m'n handen krijg...!'

Philip vertelt wat ze van plan zijn.

'Ik denk dat hij daar de beste kans heeft om Jella kwijt te raken, de markt begint al om vijf uur 's morgens, dus we moeten vroeg aanwezig zijn.'

Loes en Jos zijn zwaar onder de indruk, maar ze troosten Anika, die maar blijft herhalen dat zij in slaap gevallen is en dat daarom Jella eenvoudig kon worden gestolen.

'Wie weet wat er gebeurd was als jij het had gezien,' zegt Jos bezorgd. 'Misschien had die vent jou wel een klap op je hoofd gegeven.'

'Afgesproken, morgen meld ik mij om half vijf, we zullen dat varkentje wel eens even wassen,' zegt Dicky Strijbos.

'Tot morgen dan maar, prinses, en geen zorgen, jouw Jella komt terug of mijn naam is geen Dicky Strijbos.'

Anika glimlacht. Dicky is een fijne vriend en hij geeft je echt steun als je je miserabel voelt.

Het drietal slaapt onrustig in de tent. Ze menen telkens iets te horen en als Henry hen om kwart over vier 's morgens wekt, zijn ze allesbehalve fit.

Geeuwend melden ze zich in de keuken, waar Margot hun ontbijt al heeft klaargezet.

Loes van Meerwijk vindt deze onderneming toch

wel spannend, ondanks het feit dat het om Jella gaat. 'Kun je eenvoudig een paard op de markt verkopen als de verkoper geen papieren heeft?' vraagt ze aan Henry.

'Er zijn diverse trucs mogelijk, of ze beloven de papieren na te sturen of de paarden zijn zogenaamd uit het buitenland afkomstig of ze hebben het brandmerk van het paard veranderd. Je moet van goeden huize komen om die "heren" op heterdaad te betrappen, het zijn hele gladde jongens.'

'Anika, zit niet zo te kieskauwen, of is het herkauwen? Je lijkt wel een koe,' probeert Philip Anika wat op te vrolijken.

Loes en Jos lachen, maar Anika's gezicht blijft strak.

Kick komt de keuken binnen en zegt: 'Ik denk dat ik Michelles veulen met inknippen moet halen, krijg ik daar toestemming voor?'

Philip knikt. 'Alles wat je moet doen om Michelle te redden, is geoorloofd.'

'Henry, kun jij hier blijven? Ik heb assistentie nodig,' vraagt de veearts aan de oude trainer.

'Als het niet anders kan,' zegt deze spijtig.

Philip, Jan en Dicky; drie mannen moeten dit karwei toch wel kunnen klaren en dan zijn er Anika, Loes en Jos nog. Philip heeft de kleine bus al voorgereden. Dicky is op de motor. Het zestal kan vertrekken.

Margot Anthony vraagt haar man of hij voorzichtig zal zijn.

'Geen zorg, kind, wij komen terug met Jella!'

'Dan zou ik de trailer maar meenemen,' zegt Margot nuchter.

Niemand heeft aan de trailer gedacht.

'Jij bent goed uitgeslapen,' lacht Philip en geeft meteen opdracht aan oude Henry om de trailer vast te koppelen.

De meisjes hebben nooit geweten dat het zó vroeg al druk kan zijn op een veemarkt. Dicky is hier duidelijk vaker geweest en weet precies waar hij de bus met aanhanger kan parkeren. Hij meent dat ze zich moeten verspreiden om niet op te vallen.

'Anika, ik ga met jou mee, je twee vriendinnen moeten zogenaamd op zoek gaan naar een rijpaard en Philip moet maar als hun vader fungeren. Het spijt me, Jan, jouw gezicht is te bekend, jij moet gewoon wat over de markt slenteren en zien dat je informatie krijgt. Het plein is ons verzamelpunt. Als iemand iets concreets ontdekt, gaat hij bij het standbeeld staan. Alles duidelijk?'

'Anika, als je Jella ontdekt moet je niets laten merken, we moeten die Roel betrappen!'

Anika zucht. 'Als we Jella maar vinden,' zegt ze verslagen.

'Kop op, meisje, ik ben er zeker van dat Jella hier wordt verhandeld, op een andere markt kun je een paard van haar klasse niet zo gemakkelijk kwijt,' weet Dicky te vertellen.

Er is veel te zien op deze grote veemarkt.

Anika heeft al haar aandacht nodig, want zij ziet weer van alles wat ze zielig vindt. Een aantal jonge eendjes in een mand geperst, lammeren die klaaglijk om hun moeder roepen, maar die moeder is natuurlijk niet in de verkoop.

Loes en Jos vinden het een spannend avontuur.

Ineens ziet Philip een bekend gezicht tussen de verkopers. Met die man heeft hij vroeger wel eens zaken gedaan.

'Hij weet niets van vrouw of kinderen, dus gaan wij daar maar eens mee praten,' fluistert hij de twee meisjes in het oor. 'Je weet het, ik ben jullie vader en jij, Jos, jij zoekt een rijpaard, een driejarige,' zegt hij haar voor.

'Hé, Vriesekoop, dat is een tijd geleden,' begroet hij de verkoper.

'Anthony! Hoe loopt het op je bedrijf? Je hebt een wedstrijd gewonnen is het niet?' praat hij joviaal. Philip knikt. 'Heb je een beetje goed rijpaard voor een van mijn dochters?' vraagt hij langs z'n neus weg.

'Tja, hangt er vanaf wat je ervoor wilt betalen,' antwoordt de handelaar slim.

'Voor een redelijke driejarige wil ik een goede prijs betalen.'

Philip loopt naar de omheining waarbinnen vier magere paarden wat bix staan te knabbelen.

'Deze zijn beslist niet geschikt. Weet je niet iets beters?'

Vriesekoop krabt onder z'n pet. 'Er is mij een

paard aangeboden, een half uur geleden. De verkoper vroeg mij iets te veel, maar daar valt misschien met jou over te praten,' zegt hij familiaar.

'Over de prijs worden we het altijd eens,' glimlacht Philip.

'Ik krijg kramp in m'n kaken van al dat gegrijns,' fluistert hij tegen de meisjes.

'Kun jij even bij mijn negotie blijven, dan ga ik op zoek naar die verkoper,' belooft Vriesekoop. 'Misschien zit hij nog in het café.'

Philip Anthony knikt.

'Loes, zoek Jan Verboom en de anderen. Het ziet ernaar uit dat we beet hebben. Laat Jan even naar het café lopen om te zien of het Roel is. Dicky en Anika moeten Vriesekoop volgen als die het paard uit een trailer haalt.'

Loes snelt weg.

'Wat een dieventuig,' zegt Anthony misprijzend. 'Je moet er niet aan denken hoeveel dieren hier illegaal worden verkocht.'

Jos zucht. 'Ik hoop zo dat het echt om Jella gaat,' zegt ze zacht.

'Ik ook, kind, Jella moet in de komende race lopen. Als we haar verliezen…' Hij stopt midden in de zin. Hij ziet Jan Verboom bij het standbeeld staan en die knikt bevestigend. Roel is dus in het café.

'Blijf jij hier staan, Jos, ik ga op zoek naar de marktmeester, we moeten een getuige hebben en de dief betrappen.'

Het is Jella niet, dit paard is zwart!

Het duurt wel lang voordat Vriesekoop weer terug is bij zijn negotie.

'Ik heb het paard kunnen kopen, maar wel voor een hoge prijs,' zegt hij nadrukkelijk.

Philip is net met de marktmeester teruggekomen en Jos en Loes kijken nonchalant naar de dieren binnen de omheining. Anika en Dicky staan op wacht totdat Roel het paard uit de trailer zal halen.

'Als het een goed paard is, Vriesekoop, dan worden wij het over de prijs zeker eens,' belooft Philip.

De marktmeester begrijpt niet waarom hij bij deze verkoop aanwezig moet zijn.

'Haal het paard maar op, Vriesekoop,' zegt Philip, nog steeds vriendelijk.

Vriesekoop verdwijnt en meldt zich even later bij de trailer.

Anika bijt op haar knokkels van spanning. Als de deur van de trailer wordt opengegooid kan zij nog net een kreet van afschuw inhouden, het is Jella niet, dit paard is zwart. Teleurgesteld draait ze zich om, ze kan haar verdriet niet verbergen. Dicky trekt haar mee als Vriesekoop het paard aan de teugel meevoert. Jos en Loes schrikken als ze het paard zien, alles voor niets?

Philip buigt zich voorover en bekijkt het dier met kennersblik. 'Een mooie driejarige, Vriesekoop,' zegt hij op slijmerige toon. 'Alleen is het jammer dat jij je met gestolen waar inlaat.'

Anika kijkt het paard in de ogen en begint bijna te huilen. 'Het is Jella, ze hebben haar geverfd,' fluistert ze Dicky in het oor.

Vriesekoop verbleekt. 'Wat, gestolen waar?'

'Marktmeester, u bent getuige, ik mis sinds gistermiddag een goudblonde merrie met witte sokken.'

Philip pakt een emmer met water en boent over de benen van het paard en de witte sokken komen te voorschijn!

'Maar ik heb dit paard gekocht van... ja, van hem!' Vriesekoop wijst op Roel, die door Jan Verboom aan een arm wordt meegesleurd.

De marktmeester geeft instructies om de politie te waarschuwen.

'Vriesekoop, hoeveel heb jij hem betaald?' vraagt Philip nieuwsgierig.

'Duizend gulden,' stottert de handelaar.

Jan Verboom vist een briefje van duizend gulden uit de zak van z'n neef. 'Hier, en een briefje van honderd gulden extra van mij voor de narigheid die je hiervan hebt gehad.'

'Wat zie jij eruit, Jella,' praat Anika tegen de merrie.

'Het zal wel even duren voor jij weer goudkleurig bent,' lacht Philip. 'Wat heeft dat joch je toegetakeld.'

Roel wordt door twee politiemensen weggevoerd, nadat Philip hem van diefstal heeft beschuldigd en er aan toevoegt dat hij hem ook nog voor andere zaken kan laten vervolgen.

Roel verschiet van kleur. Hij weet wat Philip bedoelt, de dood van Jurre!

Jan Verboom draait zich om, met zo'n neef wil hij nooit meer iets te maken hebben.

Als ze later bij de Olde Bongerd aankomen, komt Margot naar buiten stormen. 'Michelles veulen is gezond ter wereld gekomen, het is een hengstje en hij is prachtig.'

Philip lacht. 'Wij hebben Jella terug, maar de jongedame ziet er niet uit.'

Anika, Jos en Loes nemen de taak op zich om Jella te wassen, ze tronen de 'zwarte' merrie mee naar het achterste gedeelte van de stal, waar Anika de waterslang aansluit en zorgt dat het water lauw is. 'Wat denk je, moet het met shampoo?' vraagt Jos.

Anika haalt haar schouders op. 'Laten we eerst maar eens kijken wat alleen water doet.'

Arme Jella, ze verandert van een zwart paard in een grijs, een vieze kleur water verdwijnt in de afvoerput. Opnieuw spuit Anika haar helemaal af, maar de verf is hardnekkiger dan ze dacht.

Henry brengt speciale zeep en zegt dat de meisjes de staartharen en manen apart moeten inzepen.

Wat een werk, het drietal krijgt het er warm van. Langzaam verandert Jella van kleur, maar ze heeft bij lange niet de mooie gouden tint van vroeger. Henry lacht. 'Laat Jella eerst maar eens uitrusten, droog haar flink af en geef haar maar wat voer. Morgen is er weer een dag.'

Loes schiet in de lach. 'Heb je Jella's sokken gezien?'

Anika buigt zich voorover en ziet dat Jella gestreepte sokken heeft van de naar beneden gestroomde verf.

Als Jella even later tevreden in haar eigen box staat, voorzien van een deken en voer, voelen de meisjes pas dat ze honger hebben en juist op dat moment steekt Dicky zijn hoofd om de deur om te melden dat ze aan tafel moeten komen.

Hoofdstuk 7

Je moet er aan geloven, Jella

'Jos, wil jij Jella alvast een wasbeurt geven? Ik kan dan een aantal trainingsrondjes met Lucky rijden,' zegt Anika.

Jos Kramers vindt het best. Ze kan Jella mooi in de wei onder handen nemen, want de zon schijnt uitbundig boven de Olde Bongerd. Jella heeft nog steeds een ondefinieerbare kleur, ergens tussen leverkleurig en beige in, van haar 'gouden' vacht is nog niets te zien.

Jan Verboom heeft verteld dat Roel voor de rechter geleid zal worden, maar misschien een alternatieve straf krijgt opgelegd.

'Wat houdt dat in?' vraagt Loes van Meerwijk.

'Bijvoorbeeld werken in een inrichting voor geestelijk gehandicapten of in een bejaardentehuis.'

'Arme bejaarden,' laat Jos zich ontvallen.

Inmiddels draaft Anika fanatiek op de rug van Lucky een aantal oefenronden, terwijl Loes de stopwatch hanteert en de tijden noteert.

Vreemd, Lucky kreupelt als hij stapvoets moet gaan, maar zodra hij draaft is het kreupele verdwenen, stelt Anika vast. Ze geeft de hengst een stuk appel ter beloning en neemt hem mee naar de wei, waar Jella staat op te drogen.

'Mensenkinderen, wat gaat die verf er moeilijk

af, kijk nou eens naar haar manen,' klaagt Jos. 'Ik heb het haar twee keer met babyshampoo gewassen en nog blijft die vreemde bruine kleur.'

'Straks moeten we het haar nog bleken, zoals ze bij de kapper doen,' grinnikt Loes.

'We kunnen het eens navragen, want zo is Jella allesbehalve een schoonheid,' meent Anika.

Oude Henry komt aanlopen en zegt: 'Waarover sta jij te mopperen, jongedame?' Hij trekt Anika speels aan haar blonde krullen.

'Jella is zo lelijk van kleur. Loes bedacht dat we het haar misschien kunnen bleken.'

Oude Henry lacht. 'Je hebt heel wat waterstofperoxyde nodig om Jella mee te behandelen. Ik denk niet dat het een bijster goed idee is.'

Hij kijkt naar Jella en moet Anika gelijk geven, het paard ziet er niet uit met haar gestreepte sokken.

Jan Verboom wil een aantal oefenronden lopen met Jella, maar beslist dat ze even moeten wachten totdat de merrie goed is opgedroogd.

'Ik heb niets aan een verkouden ster op de baan,' geeft hij te kennen. 'Gooi maar een deken over haar heen, ze is veel te gevoelig om zó in de wei te staan.'

Jos reageert een beetje beteuterd, ze heeft veel ervaring met paarden en Jella is echt niet van suiker. Toch gehoorzaamt ze direct, Jan is tenslotte de trainer.

Loes borstelt Paulien en zet de merrie bij Jella in de wei.

Paul kijkt met z'n grote fluwelen kijkers naar z'n tweelingzus en trapt ongeduldig tegen het schot, ten teken dat hij ook naar buiten wil. 'Kalm jongeman, ik heb maar één paar handen en ieder krijgt zijn beurt,' praat Loes tegen de jonge hengst. Ze duwt hem iets opzij om zijn voerbak te kunnen vullen en dat is voor Paul het teken dat er gespeeld kan worden. Hij duwt plagend zijn natte fluwelen neus in Loes' nek.

'Paul, laat dat, jakkes, je maakt me helemaal nat,' protesteert ze.

Paul sabbelt op haar korte haar en geeft Loes dan een duwtje in de rug. Wat voor een hengst een klein duwtje is, is voor een meisje als Loes een schok. Zij verliest dan ook haar evenwicht en belandt in de waterbak.

'Snertbeest!' roept ze verontwaardigd. Paul kijkt als een schooljongen die op spijbelen is betrapt. Loes pakt een handdoek en droogt zo goed en zo kwaad als het gaat haar gezicht en haren.

'Kom dan maar mee naar buiten, naarling,' knort ze op het paard, maar echt kwaad kan Loes niet op hem worden, want hij kijkt haar zó aandoenlijk aan.

'Ben jij in het water gevallen of transpireer je zo?' informeert Anika, die even op een strobaal gaat zitten.

'Grapje van Paul,' zegt Loes. 'Dat monster duwde me in de waterbak, onsportief als je met je rug naar hem toe staat.'

De drie meisjes lachen, paarden zijn net mensen met hun stemmingen en grapjes.

Kick Kramers komt het terrein oprijden.

'Fenna heeft haar vrije dag, dus komt hij waarschijnlijk voor Michelle,' lacht Anika. 'Hebben jullie trouwens dat veulen van haar goed bekeken? Dat kleintje is een miniatuur Caprilli.'

De kleine van Michelle is aandacht te kort gekomen, niet omdat de meisjes geen zin hadden, maar het werk op de Olde Bongerd eist al hun aandacht op. Roel is er niet en Fenna moet ook vaak verzuimen, want zij heeft het erg druk om af te studeren.

'Heeft het veulen al een naam?' vraagt Loes ineens.

'Gunst, dat heb ik helemaal vergeten te vragen,' zegt Anika verbouwereerd.

Michelle staat in haar comfortabele box op een wortel te kauwen. 'Goed voor je ogen,' zegt Anika, terwijl ze de merrie over de neus aait.

'Die zoon van jou is wel een rank beestje, wat een lange benen,' constateert Jos Kramers.

'Alle veulens hebben lange benen, maar deze spant de kroon. Heb je gezien dat hij een paar zwarte vlekjes op z'n bil heeft?' glimlacht Loes vertederd.

Het veulen stuntelt nog wat op zijn enorm lange benen, maar weet feilloos moeders melkvoorraad te vinden.

Philip komt binnen als Kick net zijn onderzoek heeft beëindigd.

'Alles in orde? Ik vind dat de kleine wat kortademig is.'

Kick knikt. 'Is een beetje verkouden, niets om je zorgen over te maken.'

'Philip, hoe heet het veulen eigenlijk?' vraagt Anika.

Philip schudt zijn hoofd. 'Door die toestanden met Jella heb ik daar nog niet aan gedacht. Het arme beest loopt dus nog naamloos door het leven. Nou, zeg het maar, ik denk dat jullie allang een naam in gedachten hebben.'

Anika trekt een frons in haar voorhoofd. 'Mm, de vader is Caprilli, waarom noemen we hem dan niet Capri?'

Kick lacht. 'Een zonnige naam voor een hopelijk zonnige toekomst. Klinkt goed, vind je niet, Philip?'

'Capri? Als hij er zelf niets op tegen heeft krijgt hij die naam.'

'Capri!' Het veulen richt z'n grote oren naar Anika. 'We noemen jou Capri, is dat goed?' Er volgt een zacht gehinnik.

'Wij hebben z'n toestemming, de Olde Bongerd zal hopelijk trots op je zijn,' zegt Philip plechtig. 'Wil je ook nog even naar Jella kijken, ik vind dat ze er wat mat uitziet,' vraagt hij dan aan Kick.

Deze grinnikt. 'Je zou bijna een vergiftiging oplopen met al die verf op je bast en het duurt wel een tijdje voor onze Jella weer goudblond is.'

'Henry wil een ontkleurder kopen en dat wil ik

best proberen, ze kan zó toch niet aan een race meedoen?'

'Maak daar geen punt van, Philip, ze loopt er echt niet minder snel om, al moet ik toegeven dat ze er dan wel heel wat appetijtelijker uitziet.'

Margot komt de stal binnen en zegt: 'De formulieren zijn binnen. Wat doen we, schrijven we Jella in?' Anika geeft meteen antwoord. 'Dat stond toch al vast, Jella moet eraan geloven. Ze moet haar krachten meten met haar leeftijdgenoten.'

Philip wijst naar Anika. 'Je hebt het antwoord gehoord, Margot, Anika de Korte beslist.'

Iedereen moet er om lachen, want Anika doet nog steeds alsof Jella van haar is en niet van de Anthony's.

Jos en Loes zouden een weekje komen logeren, maar automatisch wordt hun verblijf verlengd. Ze lopen niemand in de weg, integendeel, ze werken hard mee op het bedrijf en nu de wedstrijdkoorts toeslaat op de Olde Bongerd, is hun hulp meer dan nodig.

Joy en Dicky Strijbos zijn ook regelmatig op de Olde Bongerd te vinden. Joy, omdat zij nu eenmaal een warm gevoel heeft voor Anika en haar vriendinnen, en Dicky omdat hij een paar helderblauwe ogen slecht uit zijn gedachten kan zetten.

'Heeft stal Strijbos ook een paard ingeschreven?' informeert Anika, terwijl ze Jella voor de nacht gereed maakt.

Dicky knikt. 'Een nieuwe en supersnel, een merrie met bonte vlekken. We noemen haar Briljant.'

'O,' zegt Anika zacht.

'Blauwoog, wat kijk jij ineens duister, mag ik niet concurreren met Anika de Korte?' plaagt Dicky. 'Er lopen alleen maar pronkstukken mee in deze koers, de toekomst van de paardesport, en daar hoort jouw Jella ook bij, Anika. Je moet één ding onthouden, je kunt niet altijd winnen en het is heel belangrijk dat je met Jella aan zo'n race mee mag doen.'

Anika zucht. Ze kan het niet helpen, maar het gevoel te moeten winnen, is sterker dan zij.

'Jella heeft nog heel wat racejaren voor de boeg, want ze is nog geen drie jaar oud. Ze moet groeien, niet lichamelijk maar geestelijk. Je kunt een paard vergelijken met een mens, als je opgroeit leer je iedere dag nieuwe dingen waar je je voordeel mee kunt doen. Jella kan bijvoorbeeld in deze koers best laatste worden, maar de volgende keer heeft ze iets meer ervaring en wordt misschien vierde. Zo werkt het bij mensen maar ook bij paarden,' legt Dicky uit.

Hij moet eigenlijk lachen als hij het kinnetje van zijn vriendinnetje omhoog ziet gaan.

Anika is niet zo snel te overtuigen, maar hij voelt wel dat zijn woorden tot haar zijn doorgedrongen en dat is de hoofdzaak. Op deze manier kun je teleurstellingen in de paardesport verwerken.

Hijzelf koerst al iets langer en wat hij nu aan

Anika heeft verteld, hoorde hij eens van zijn vader en nu hij terugkijkt weet hij dat z'n vader gelijk heeft gehad. Je kunt niet altijd op het erepodium staan.

Anika heeft met Jan Verboom en Henry een trainingsschema uitgewerkt en ze werkt heel serieus met Jella.

Henry heeft een ontkleurder gekocht, waardoor Jella in ieder geval weer roomkleurige manen en witte sokken heeft, verder is ze nog steeds een peper- en zoutpaard. Maar je went aan alles en niemand maakt er meer aanmerkingen over.

Jos en Loes verheugen zich op de wedstrijd waarin Anika zal rijden. Ze nemen heel wat stalklussen vrijwillig over, want zodoende heeft Anika meer tijd vrij voor Jella.

Een dag is niets op de Olde Bongerd, de tijd vliegt en voordat iemand het in de gaten heeft staan ze aan de vooravond van het spannende gebeuren.

Jella staat opgepoetst in haar stal te dromen, terwijl Henry haar benen nog een massagebeurt geeft.

Anika hangt over de boxdeur en zegt ineens: 'Je kunt een deken winnen, is het niet?'

Oude Henry komt overeind. 'Wat?'

'De paarden krijgen zo'n mooie blauwe deken als ze winnen, is het niet?'

De trainer schudt zijn hoofd. 'Anika de Korte, het gaat om meer dan een blauwe deken. Wat flitst er nu weer door dat hoofdje van jou?'

Anika zucht. 'Niets, ik wil alleen zo'n deken voor Jella.'

'Kind, die Jella van jou zal nog genoeg dekens winnen in haar carrière, maar daar gaat het deze keer niet om, je moet gewoon een goede koers rijden, meer niet.'

Hij laat even zijn hand op haar krullen rusten en glimlacht. 'Ga slapen, mijn jockey, morgen is het vroeg dag!'

Anika blijft nog even bij Jella hangen, praat wat tegen de merrie en verdwijnt dan met een zaklantaarn in de richting van de achterste wei.

Ze richt de lichtbundel op de grafheuvel van Jurre en zegt zacht: 'Duim voor me, Jurre, dit is Jella's grote kans.'

Jos doet het tentzeil opzij. 'Tegen wie sta jij te praten?' vraagt ze verbaasd.

'Tegen Jurre,' zegt Anika zacht.

Jos sluit haar mond, hier heeft zij geen woorden voor.

Loes ligt al diep in haar slaapzak als Anika zich in de hare wurmt. 'Welterusten,' zegt Loes.

'Morgen is het zover,' zegt Anika slaperig.

'Kind, ik zou geen oog dichtdoen,' zegt Jos, maar Anika heeft haar ogen al dichtgedaan, zij is gewoon moe van het afwerken van de schema's. Jos Kramers hoeft zich over Anika geen zorgen te maken. Anika slaapt rustig!

Het regent pijpestelen als het drietal vroeg in de ochtend wakker wordt.

'Bah, hoor de regen eens tekeergaan,' zegt Loes teleurgesteld. 'Nu gaat de wedstrijd zeker niet door?'

Anika komt overeind. 'Hoe laat is het eigenlijk? Pas half vijf? Dan ga ik nog wat slapen, dit is geen weer om zo vroeg op te staan.'

Het wordt weer stil in de tent en je hoort alleen het getik en geruis van de regen op het tentzeil.

Een waterig zonnetje laat haar gezicht zien als oude Henry het drietal komt wekken.

'Het is droog,' zegt Loes verbaasd.

'Op dit moment wel, maar er wordt nog meer regen verwacht,' lanceert de trainer op ernstige toon. Hij houdt niet van wedstrijden als de baan zwaar van de regen is, dat kan ongelukken veroorzaken.

'Hé, Henry, wat ben je chagrijnig, met je verkeerde been uit bed gestapt?' plaagt Anika de oude baas.

'M'n been steekt van de reumatiek en ik ben nu eenmaal niet dol op races op een doorweekte baan.'

Verder doet hij er het zwijgen toe, hij wil Anika niet van streek maken. Ze zit vol illusies, vandaag krijgt Jella immers haar grote kans!

'Hoe laat gaan we weg? Is Jella al verzorgd?'

Anika is in een uitgelaten stemming.

'Ga jij maar eens onder de douche, druktemaakster. Jella is klaar, heeft al ontbeten en een opwarmingsrondje gelopen,' antwoordt de oude baas.

Hij geeft Jos en Loes een knipoog. De oude trainer heeft zichzelf tot de orde geroepen, hij mag de stemming van Anika niet met zijn zwartkijkerij verstoren. Hij kijkt naar de hemel en woelt door z'n zilveren haar. 'Dat gaat niet goed,' mompelt hij zorgelijk en vangt de blik van Jos op.

'Worden zulke wedstrijden wel eens afgelast als het slecht weer is?' vraagt zij de oude trainer.

'Soms wel, maar deze race is heel belangrijk, er komen jonge paarden van de belangrijkste bedrijven uit het hele land en dat kun je niet zo eenvoudig verzetten.'

'Is het een aardebaan?' vraagt Loes.

'Nee, het is een grasbaan, maar als daar zoveel paarden over denderen blijft er weinig van over,' meent de oude man somber.

'Heeft Jella een kans?' vraagt Loes, terwijl ze Henry aan zijn mouw vasthoudt.

'Tuurlijk, zij heeft net zoveel kans als de andere paarden.'

Jos trekt haar wenkbrauwen op. 'Het is maar goed dat Anika je niet hoort, want zij heeft daar een andere mening over.'

'Voor Anika is Jella het beste paard op aarde en daar is niets op tegen als je maar realistisch blijft. Jella belooft een renpaard te worden, maar staat helemaal aan het begin van de streep, het kost jaren van inspanning en oefenen en dan kan het zijn dat Jella eens bijzonder snel zal worden, maar niemand kan dat voorzien,' meent de trainer.

Jos knikt. 'U bedoelt dat Jurre ook aan het begin stond en nu…'

'Zoiets, je kunt niet zó eenvoudig een wissel op de toekomst trekken, we zullen het wel zien. Maar nu opschieten, kwebbels, over een kwartier moeten we vertrekken.'

De lucht is weer helemaal bewolkt en als Henry Jella in de trailer zet, niest hij verschillende keren.

'Ja hoor, verkouden worden kan er ook nog wel bij,' moppert hij.

Jella schopt baldadig tegen het schot.

'Begin jij ook nog? Bewaar je energie liever voor straks, je krijgt nog een hele kluif aan die baan,' praat hij tegen de merrie, terwijl hij zorgvuldig de achterklep sluit.

'Anika, ben je nu nog niet klaar?' roept hij naar binnen.

'Wat een slecht humeur heb je vandaag, Henry,' zegt Margot, terwijl ze de deur achter zich in het slot trekt. 'We zijn allemaal zover, op naar de baan!'

'Laat je het bedrijf zó achter?' moppert de trainer.

'Mopperkont, Kick en Fenna zijn er, jij bent zo in de weer dat je zelfs de rode auto van Kick niet hebt gezien.'

Philip begint te lachen. 'Het is maar goed dat je jezelf niet kunt zien. Man, als ik zo'n gezicht had deed ik er beslist een zak overheen.'

Iedereen begint te lachen, het is ook te zot om los

te lopen, zo'n humeur en alleen omdat het regent.

Philip slaat hartelijk een arm om de schouders van de trainer. 'Je zult zien dat de baan ook wel meevalt, zo'n regenbui kan onze dag toch niet bederven?'

Henry start de wagen en roept naar Jella in de trailer: 'Vooruit, meisje, hou je vast, we vertrekken.' De drie vriendinnen kijken elkaar aan en even later liggen ze slap van de lach op de achterbank.

'Lachen is inderdaad beter dan huilen,' zegt Henry met een gezicht waaruit blijkt dat zijn humeur zich een beetje heeft hersteld. Hij begint te vertellen over zijn jeugd toen hij verschillende vlakkebaanrennen in Engeland heeft gekoerst.

'Philip, herinner je je Eclipse nog? Ik heb hem in de grote derby mogen berijden.' Henry droomt wat weg.

'Ik neem het stuur wel van je over, Henry, dan kun jij het verhaal aan de meisjes vertellen,' zegt Philip.

'Tja, de derby is in Engeland nog steeds een van de belangrijkste klassiekers. Driejarigen die drie kilometer moesten koersen met een handicap van vijftig kilo voor de merries en 51 voor de hengsten. Vijfentwintig kwamen er aan de start en Eclipse won. Dat waren nog eens jaren! Op Epsom was altijd van alles te beleven, onder andere worstelen en hanengevechten. Later hebben ze het parcours gewijzigd, de paarden moesten tot aan Tottenham Corner naar beneden en dan kwamen ze op het lange rechte stuk, zeshonderd meter voor de finish.' Henry zucht. 'In die tijd kon een goede jockey veel geld verdienen.'

'Als je een goede jockey bent, kun je dat heden ten dage nog,' vult Philip aan.

'Ik zie de vlaggen van de baan, terug uit het verleden, Henry, vandaag moet er iets gebeuren!'

Henry knikt, maar trekt een frons in zijn voorhoofd. Leuk gezegd, maar vandaag zit er geen jonge jockey op de rug van een veelbelovende merrie, maar een dromende tiener!

Hoofdstuk 8

Wat zeg je van Jella

Jan Verboom is natuurlijk al ter plekke als de Olde Bongerd-bewoners de auto met trailer parkeren. Hij brengt Jella onmiddellijk naar haar box en kijkt dan met een scheef oog naar de stormachtige uitdrukking op het gezicht van Henry.

'Heb je de baan gecontroleerd?' vraagt deze streng.

'Zeker, Henry, we zullen Jella maar regenbanden omdoen, vind je niet?'

Anika proest het uit, gekke Jan, alsof Jella een raceauto is. Henry kan er echter niet om lachen, hij mompelt iets over de jeugd die de gevaren onderschat en nog een aantal zaken die niet te verstaan zijn.

Dicky Strijbos steekt z'n hoofd om de hoek van de box en zegt: 'Ik kom je even succes wensen, want straks lukt dat slecht als ik je moet verslaan op Briljant.'

Anika's gezicht betrekt. 'Is die Briljant zó goed?' vraagt ze op scherpe toon.

Dicky grijnst. 'Zeker net zo goed als alle andere deelnemers, en jij zit alweer boven op de kast is het niet?'

Anika steekt haar tong uit.

'We zullen wel zien, jongedame. Laten we een weddenschap afsluiten, als Briljant lager eindigt dan jouw Jella, trakteer ik jullie drieën op een avondje disco. Wat zet jij in als Jella lager eindigt?'

Anika denkt diep na. 'Mm, hetzelfde, ik laat me niet kennen.'

Henry controleert inmiddels de bandages en vraagt een beetje narrig aan Dicky of hij de deelnemerslijst bij zich heeft. Even later gaat hij met Philip op een strobaal zitten en samen nemen zij de deelnemers onder de loep.

'Jeminee, De Eiken hebben twee jonge paarden in de koers en Van den Berg heeft Solario ingeschreven, mm... daar heb ik nog nooit van gehoord.'

'Als die man weer een slechte jockey heeft, heb jij er weer een paard bij, Anika,' plaagt Dicky.

'Baron Bentinck met drie nieuwelingen, Strijbos met Briljant.'

Zo gaan ze de hele lijst na en weten dan dat alle grote bedrijven hun kanshebbers hebben ingeschreven.

De koers waarin Anika uitkomt is de laatste van het programma en de drie vriendinnen hebben tijd over om de deelnemende paarden in de boxen te bekijken.

De tijd kruipt als je moet wachten en rusteloos kijkt Anika steeds op haar horloge, zij is niet zenuwachtig om te koersen, maar dit gewacht daar krijgt ze iets van.

Henry is voor de tweede keer met Jan Verboom

naar buiten gegaan om de toestand van de baan te beoordelen. In een nog slechter humeur komt hij even later weer binnen. 'Het regent opnieuw!' meldt hij op graftoon.

'Jella en ik zijn niet van suiker, Henry, hou eens op om je bezorgd te maken,' zegt Anika.

Eindelijk wordt omgeroepen dat de deelnemers zich naar de start moeten begeven. Henry en Jan plaatsen het zadel, maken de riemen vast en brengen dan Jella naar buiten. Margot bijt op haar nagels en troont de meisjes mee naar de overdekte tribune, vanwaar ze de koers goed kunnen volgen.

Loes trekt de rits van haar anorak omhoog en zegt: 'Jammer dat het zo regent, zou Jella daar last van hebben?'

'Ik denk dat ieder paard liever in de zon draaft,' meent Jos, terwijl ze op een snoepje trakteert.

Anika is door Jan Verboom in het zadel geholpen, terwijl Henry de stijgbeugels en riemen controleert.

'Jella wil geloof ik niet in haar startbox,' zegt Loes.

Margot pakt de verrekijker en zegt: 'Ik zie het al, Jella wordt gehinderd door het paard naast haar, nu staat ze op haar plaats. Ze zijn gestart!' zegt Margot dan opgewonden.

'Hup, Anika!' schreeuwt Jos, alsof ze dat kan horen zo ver van de tribune.

Jella ligt op de negende plaats, dus geen gekke start, maar de baan is één modderpoel en de mensen op de tribune houden hun adem in als ze zien dat een van de paarden uitglijdt en valt. Anika stuurt Jella naar de buitenkant, ze verliest hierdoor wel enige plaatsen, maar de grond is minder omgeploegd en het terreinverlies kan ze daarna wel weer goed maken.

'Goed zo, meisje, jij begrijpt het, ga maar rustig buitenom, je niet laten insluiten,' praat Margot.

Anika haalt moeilijk adem, de regen striemt haar in het gezicht en ze merkt dat Jella het ook niet bepaald een aantrekkelijke race vindt. Dan ziet ze de opvallende helm van Dicky, hij ligt in de voorste linie.

'Jella, meisje, moeten we ons door de regen en Dicky laten verslaan, niets ervan, naar voren!'

Anika maakt zich zo klein mogelijk en Jella gehoorzaamt en haalt een aantal paarden in. Anika's bril komt onder de modder, waardoor ze weinig zicht heeft. Voorovergebogen praat ze steeds tegen haar Jella.

'Je kunt, het meisje, jij bent de beste van allemaal, je moet het bewijzen, toe Jella, naar voren!'

Philip en Henry hebben zich inmiddels bij de dames op de tribune gevoegd en treffen een zenuwachtige Margot aan.

Anika is opgeschoven naar de zesde plaats, ze rijdt nu achter Dicky Strijbos en probeert hem te passeren, maar die laat zich niet zo gemakkelijk de kaas van het brood eten.

Henry neemt de verrekijker om beter te kunnen

beoordelen wat er allemaal gebeurt en opgewonden zegt hij: 'Nee maar, dat is niet te geloven, Anika passeert Dicky aan de buitenkant en stormt naar voren de laatste bocht in. Blijf aan de buitenkant, meisje, en hou je vierde plaats vast!'

'Jella, de laatste bocht, nu alles of niets, mijn meisje,' fluistert Anika haar paard in het oor. Ze kromt haar rug nog meer en zet Jella tot grotere snelheid aan. Langzaam worstelt het tweetal zich naar voren en op het rechte stuk naar de finish gaat ze nog twee paarden voorbij. Jella draaft en draaft, haar witte sokken zijn door een dikke modderlaag bedekt, maar ze houdt stand. In een flits gaan ze door de finish en met kramp in haar handen en tranen in haar ogen laat Anika Jella uitlopen. Even later tilt Henry Anika van de paarderug en gooit haar en Jella een deken om.

'Kind, wat zie jij er uit, dit was echt geen grapje meer, maar je hebt het er glorieus van afgebracht.' De oude baas heeft ook tranen in de ogen. 'Wie had dat ooit durven dromen,' zegt hij ontroerd.

'Hoeveelste zijn we geworden?' vraagt Anika, terwijl ze haar bemodderde bril afzet.

Ze ziet er werkelijk komisch uit, een bemodderd gezicht, een rode striem op haar voorhoofd waar de helm heeft geklemd en vochtige krullen die opstandig alle kanten uit staan. Daar komen Philip, Margot en haar vriendinnen in juichstemming en feliciteren haar.

'Geef nou antwoord, Henry!' dringt Anika aan.

Henry schudt zijn hoofd. 'Je gaat me toch niet vertellen dat je niet weet op welke plaats jullie zijn geëindigd? Dat kun je niet menen.'

'Dat meen ik wel, dacht jij soms dat ik op het laatste recht stuk iets heb kunnen zien door die bemodderde bril?' zegt ze snibbig.

Philip veegt de tranen uit zijn ogen. 'Daar komt Dicky, vraag het hem maar.'

De knappe donkerharige jockey van de Strijbosstoeterij kust haar op de bemodderde wangen en zegt: 'Anika, meisje, wat heb jij een fantastische koers gereden, ik ben trots op je.'

'Leuk hoor, wil jij mij dan vertellen op welke plaats Jella en ik zijn geëindigd?'

Het verbouwereerde gezicht van Dicky is goud waard.

'Hou je mij voor de mal, Anika?' vraagt hij voorzichtig.

Anika stampvoet. 'Waarom geeft niemand mij antwoord op een simpele vraag?'

Dicky kijkt naar Henry. 'Weet ze het echt nog niet?'

Henry veegt de tranen uit zijn ogen en zegt: 'Anika beweert dat ze op het laatste rechte stuk niets heeft kunnen zien door haar bemodderde bril.'

Dicky's mond valt open. 'Hoe kun je dan rijden?' vraagt hij verbijsterd.

'Op gevoel, Jella wist toch waar de finish was.'

Margot vindt dat Anika genoeg is geplaagd en

zegt: 'Anika, jij en Jella zijn nummer één geworden!'

Anika's blauwe ogen vullen zich met tranen. 'Hoe is dat mogelijk?' vraagt ze zacht.

'Jouw Jella is kampioen van de nieuwelingen en zal worden ingeschreven als veelbelovende merrie,' legt Dicky uit.

Jan Verboom heeft Jella direct naar haar box gebracht om haar te drogen en te borstelen.

'Anika, jij mag je ook wel even wat opknappen, want over een kwartiertje is de prijsuitreiking,' weet Dicky te vertellen.

Anika laat haar blik naar beneden glijden en ziet dat ze van top tot teen onder de modder zit. Ze heeft er ook geen moment aan gedacht om andere kleren mee te nemen, zo vol was ze van deze wedstrijd. Maar Margot heeft wel doorgedacht en een schone spijkerbroek en een rode trui van Anika ingepakt en als het goed is heeft Jan Verboom zijn renbloes in de kleuren van de Olde Bongerd bij zich.

'Kom, we zullen je eens even opknappen, je wilt toch niet zo vies in de krant verschijnen?'

Loes en Jos glimmen van plezier, die vriendin van hen heeft het toch maar even gelapt.

Jan Verboom heeft zijn bloes al klaargelegd. Anika's helm en laarzen worden door Henry schoongemaakt, terwijl Anika zich achter een stapel strobalen omkleedt. Jos haalt een emmer water, zodat Anika de modder van haar gezicht kan wassen, daarna een borstel door het haar en even later staat er een stralende winnares op de prijsuitreiking te wachten.

Een jurylid bevestigt een rozet aan het hoofdstel van Jella en werpt haar een blauwe kampioensdeken over de rug. Jella's eerste echte premie.

Anika ogen zwemmen, een droom is waar geworden. Ietwat beduusd neemt zij de winnaarsbeker in ontvangst en tevens een enveloppe. Beide geeft ze onmiddellijk aan Philip Anthony. Anika streelt haar paard over de neus en loopt een ererronde met haar kampioen.

Margot snuit luidruchtig haar neus. 'Kun jij je dat voorstellen, dat malle kind is gelukkiger met die deken en de rozet voor Jella dan met die andere kostbare premies, ze heeft er zelfs niet naar gekeken.'

Henry knikt. 'Typisch Anika de Korte. Dat was ook haar enige wens, een deken voor haar Jella. Wij kunnen daar een voorbeeld aan nemen, dit meisje kent geen hebzucht, ze denkt alleen maar aan haar paarden.'

Dicky Strijbos komt met een enorme bos bloemen aanzetten, waar hij die zo snel vandaan heeft gehaald, komt niemand te weten. Anika krijgt een kleur tot in haar haarwortels.

'Bloemen voor een bijzondere vriendin,' zegt Dicky zachtjes, terwijl hij een bloem uit het boeket achter de rozet van Jella doet. 'Jella, ik weet dat ik altijd mijn plek met jou zal moeten delen,' zegt hij.

'Het is niet te hopen, broertje, dat Anika straks een stoeterij begint, want dan moet je wel heel wat plaatsen opschuiven,' grinnikt Joy, die net Briljant in de trailer heeft geplaatst om de terugreis te aanvaarden.

'Ik heb het je helemaal vergeten te vragen, op welke plaats is Briljant geëindigd?' vraagt Anika.

'Heb je zeker ook niet gezien,' constateert Dicky mismoedig. 'Briljant is vierde geworden, niet onverdienstelijk en we zijn tevreden met het prijzengeld.'

'Mooi, dan kun jij tenminste onze uitgaansavond bekostigen,' zegt Anika plagend. 'Want dáár zit je wel aan vast!'

'Anika, je hoeft met hem geen medelijden te hebben, hij verdient genoeg tijdens alle wedstrijden. Het is een enorme potter, alles op zijn bankrekening, maar we zullen hem een avond eens flink op kosten jagen.'

'Van je zuster moet je het maar hebben,' klaagt Dicky. 'Maar die uitgaansavond gaat natuurlijk door, ik bel je wel.'

'Wat denken jullie ervan, wij gaan ook maar Olde Bongerd-waarts,' zegt Philip.

Anika rilt, ineens slaat de vermoeidheid toe, de spanning is gebroken. Ze kijkt naar Jella, ze kan trots zijn op haar merrie, Jella heeft haar grote kans gegrepen.

Op weg naar huis is Anika opvallend stil en droomt weg op de achterbank. Philip zit achter het stuur en de enige die op z'n praatstoel zit, is oude Henry.

'Anika, ik kon m'n ogen niet geloven, Jella liep steeds aan de buitenkant, die merrie heeft een klein wonder verricht.'

Anika knikt. 'Ja, Henry, Jella liep zoals ze moest lopen, iemand in de paardenhemel heeft haar geholpen. Jurre was hier duidelijk aanwezig.'

Oude Henry sluit zijn mond.

'Anika, Jurre is dood,' zegt Margot zacht. 'Hoe kan die nog iets voor ons doen?'

Anika's kin komt naar voren. 'Je hoeft er niet in te geloven, maar ik weet zeker dat Jurre heeft geholpen.'

Margot kijkt hulpzoekend naar Philip. Hij heeft zijn aandacht bij de weg nodig, maar hij denkt er wel het zijne van en niemand weet of er niet ergens een paardenhemel is!

Als ze het terrein van de Olde Bongerd oprijden staan Kick en Fenna al in de deuropening.

'En…?' Fenna kijkt naar het vermoeide gezicht van Anika. 'Er liepen meer dan twintig paarden mee,' meldt Loes van Meerwijk.

'Dat zal wel, deze koers was heel belangrijk voor de nieuwelingen, maar hoe heeft Jella het ervan afgebracht?' vraagt Kick ongeduldig.

Anika laat de achterklep van de trailer neer en dan zien ze Jella staan met haar kampioensdeken.

'Jella is één geworden? Dat is bijna een wonder!' lacht Kick opgetogen.

'Ja, en dat terwijl Anika het laatste stuk niets heeft kunnen zien,' zegt Jos op droge toon.

Daar willen de achterblijvers meer over weten.

Anika wil zelf Jella in haar box zetten. 'Ik kom zo,' zegt ze tegen de anderen.

Henry ziet dat het meisje zachtjes over de blauwe deken aait.

'Kom, Jella, het is bedtijd,' zegt ze tegen de merrie, terwijl ze de bandages losmaakt en de rozet aan de boxdeur bevestigt. De blauwe deken wordt zorgvuldig opgevouwen.

'Dit was een bijzondere dag, vind je niet?' Ze pakt de bloem uit het hoofdstel en legt even haar hoofd tegen dat van de merrie. 'Ik breng deze bloem naar Jurre, jij en ik weten dat hij ons heeft geholpen, al geloven de anderen ons niet.'

Ze sluit de boxdeur en loopt door de regen naar de achterste wei. Anika legt de bloem op het graf van Jurre en zegt: 'Bedankt voor je hulp, Jurre.'

Ze blijft nog even staan en zo wordt ze ontdekt door oude Henry, die haar wil roepen voor een traktatie. Een tenger figuurtje bij een grafheuvel, een meisje dat niet licht haar vrienden vergeet, ook niet als het een dode hengst is.

Hoofdstuk 9

Niet naar de disco

Wat is Anika blij dat Dicky Strijbos de eerstkomende dagen na de wedstrijd niet belt voor een afspraak om samen uit te gaan. Ze heeft behoorlijk last van spierpijn en bovendien een fikse verkoudheid. Met een snufneus en rode ogen verschijn je niet graag voor je vriendje!

'Anika lijkt wel een konijn,' plaagt Loes, terwijl ze naar de rode waterogen van haar vriendin kijkt.

'Jij slaapt vannacht niet in de tent, juffertje, anders blijf je verkouden,' beslist Margot, terwijl ze een warme grog voor haar assistent-jockey maakt.

Jan Verboom heeft een tijdschrift over paarden voor Anika meegenomen en hierin wordt vol lof gesproken over de Olde Bongerd, maar vooral juichen ze over Jella, 'een winnares die toekomst heeft' schrijven ze met hoofdletters.

Anika is trots op haar Jella en ze voelt sterker dan ooit dat het paard eigendom van de Olde Bongerd is.

'Jos, wil jij straks met Lucky gaan rijden? Hij voelt zich vast te kort gedaan,' vraagt ze aan haar vriendin.

'Als ik volgende week uit m'n harnas mag, berijd ik hem iedere dag, Anika,' belooft Jan Verboom.

Anika knikt, maar blijft zich rot voelen. Komt dat door het weer of door het feit dat de vakantie bijna afgelopen is en de school weer roept?

Loes en Jos zijn samen vertrokken om wat met Lucky te oefenen en Anika hangt in een luie stoel met het paardentijdschrift. Ze neemt een slok van de honingthee en bedenkt dat op de Olde Bongerd altijd wat te beleven is en op de Oude Aarde is zij alleen. Toegegeven, Jos en Loes komen regelmatig bij haar, maar het is dan anders. Als ze de middelbare school maar achter de rug had, dan kon ze hier komen werken!

Ze legt haar hoofd tegen de stoel en droomt weg.

Zo vindt Philip haar even later, in diepe slaap, het tijdschrift stevig tussen haar vingers geklemd.

Gelukkig duurt de spierpijn niet lang en is de verkoudheid snel voorbij.

'Anika, telefoon!' roept Fenna.

Anika neemt de hoorn over en zegt: 'Met Anika de Korte.'

'Spreek ik met de kampioene van de nieuwelingen?' klinkt het in de hoorn.

'Als u even wacht, meneer, dan zal ik het paard roepen,' geeft Anika ad rem ten antwoord. Ze heeft de stem van Dicky natuurlijk onmiddellijk herkend.

'Ik wil mijn belofte inlossen en jullie uitnodigen, niet om naar de disco te gaan, maar voor een ander uitstapje. Als jullie het goedvinden natuurlijk,' laat hij er op volgen.

'Mm, hangt ervan af, wat is je plan?' vraagt Anika.

'Het heeft met paarden te maken en het is morgen, meer wil ik er niet van zeggen want anders is het geen verrassing meer,' zegt Dicky geheimzinnig. 'Vertrektijd half negen, rijtijd ongeveer een uur,' legt hij nog uit.

'Ik gooi het in de groep en bel je binnen het uur terug,' zegt Anika zakelijk. 'Joy gaat toch ook mee?' vraagt ze nog snel.

'M'n zus wil dit uitje voor niets ter wereld missen.'

'Klinkt goed, ik bel zo terug.' Ze legt de hoorn op de haak.

'Wat klinkt goed?' vraagt Fenna nieuwsgierig.

'Dicky heeft een weddenschap verloren en we zouden op zijn kosten naar de disco gaan, maar nu stelt hij een ander uitstapje voor. Het heeft met paarden te maken, meer wou hij niet kwijt.'

Anika stevelt naar buiten en ontdekt Loes en Jos bij de stal. 'Dicky heeft gebeld en vraagt of we morgen met hem uitgaan, een ander uitstapje dan naar de disco, het heeft met paarden te maken en hij deed heel geheimzinnig.'

'Wat kan dat dan zijn?' vraagt Jos.

Anika haalt haar schouders op. 'Doen we het of staan we op een disco-avond?'

'Als het met paarden te maken heeft, kan het best leuk zijn,' meent Loes van Meerwijk.

'Dus we accepteren het aanbod?' dringt Anika aan.

'Bel maar terug dat we de gok wagen,' lacht Jos Kramers.

Anika belt de beslissing door en vraagt meteen: 'Wil je me nu ook vertellen wat voor evenement je in je hoofd hebt?'

'Nee, blauwoog, je zult het morgen wel zien, half negen ben ik bij jullie,' belooft Dicky. 'Groet Jella van mij!' De verbinding wordt verbroken.

Om acht uur de volgende morgen staan de drie vriendinnen al klaar. Ze hebben zelfs de paarden al gevoerd en hun tent opgeruimd.

Margot vraagt: 'Blijven jullie de hele dag weg?'

Daar kunnen de meisje geen antwoord op geven.

'Daar zijn Joy en Dicky,' zegt Loes, terwijl een auto met trailer het terrein komt oprijden.

'Keurig op tijd, hè?' begroet Dicky het gezelschap.

'Wat voor uitje heb jij voor ons in petto?' vraagt Anika.

Joy grinnikt. 'Jij doorziet ook alles, in de trailer staat inderdaad een paard, maar dat moeten we bij een vriend van vader afleveren en bij die vriend is actie, jullie zullen het zien.'

Anika fronst haar voorhoofd. 'Is het ons niet naar de zin, dan kost het je ook nog een avondje disco, heer Strijbos!'

Dicky schiet in de lach. 'Mooie tante ben jij, hoor.'

Terwijl Joy tegen Margot zegt dat de meisjes niet thuis eten, zegt Dicky: 'Instappen, anders komen we te laat.'

Joy heeft binnenpret.

Anika kijkt argwanend naar de donkere jockey en met een frons op haar voorhoofd stapt ze in de auto.

'Welk paard breng je weg?' vraagt ze.

'Olivier, je kent hem niet, een jongeling, meer geschikt voor het circus dan voor een stoeterij. Vaders vriend kan hem goed gebruiken voor z'n grappen en grollen.'

Anika trekt haar wenkbrauwen op. 'Heeft je vaders vriend dan een circus?'

Dicky schudt zijn hoofd. 'Het kan er wel vreemd aan toe gaan daar, maar een circus heeft hij niet.'

Met een zucht laat Anika zich in een wat gemakkelijker houding achteroverzakken. Loes en Jos kletsen met Joy over haar komende wedstrijd in Engeland. 'Jullie geloven het niet, maar het is moeilijk om daar als vrouw te koersen, ze hebben liever mannelijke jockeys.'

'Dat is niet eerlijk, wij kunnen als vrouw minstens zo goed zijn of misschien wel beter,' meent Loes verontwaardigd.

'Knap onsportief,' zegt Anika alleen.

'Zo zit de paardenwereld in elkaar, daar kom je nog wel achter,' zegt Joy op ernstige toon.

'Ontmoedig haar niet zo, dit kuiken komt pas kijken,' zegt Dicky met een knipoog naar Anika.

'Wat kuiken? Dit kuiken heeft al een kampioenschap op haar naam staan!' Anika blaast een krul uit haar gezicht en steekt arrogant haar kin in de lucht.

Joy lacht. 'Geef hem maar van katoen, Anika, hij wordt een beetje eigenwijs.'

In een opperbeste stemming rijden ze naar de vriend van vader Strijbos.

Na een dik uur rijden zien een aanduiding WILLIAMS RODEO en daar rijden ze naar toe.

'Rodeo?' vraagt Loes verbaasd. 'Dat klinkt Amerikaans.'

Dicky grijnst. 'Jullie krijgen een buitenlands uitje. De vriend van vader heet Rob Willems, maar de mensen willen altijd iets bijzonders, vandaar dat het bedrijf Williams is genoemd.'

Hij rijdt de auto met trailer een brede oprijlaan in en parkeert het geheel bij een coral.

Een tamelijk jonge man in cowboykleding komt uit de coral. 'Zo, Dicky, je bent mooi op tijd, fijn dat je Olivier komt brengen. Ik kan nog wel een lastpost gebruiken,' begroet hij de jockey.

'Dit zijn je gasten?' Hij schudt Anika, Jos en Loes uitbundig de hand en slaat een arm om de schouders van Joy.

'Hoe gaat het met mijn favoriete jockey?'

Joy krijgt een kleur en weet zo maar geen antwoord te geven en dat wil wat zeggen!

Rob haalt Olivier uit de trailer, maar het dier begint dan zo te bokken dat Rob de hulp van Dicky nodig heeft. Uiteindelijk weten ze hem samen in de coral te krijgen.

'Dicky, jullie zijn vandaag mijn gasten. Je kent hier de weg.'

Dicky knikt, maar Anika kijkt verontwaardigd.

'Gasten van Rob Williams? Betaal jij op deze manier je verloren weddenschap?'

Joy proest het uit. 'Bingo, je bent verslagen, lieve broeder!'

Dicky woelt door z'n donkere haardos en zegt: 'Niet zeuren, er is hier heel wat te beleven en als jullie blijven treuzelen, missen we misschien het leukste.'

Ze komen bij een grote overdekte tribune die uitziet over een met houten planken afgezet terrein.

Jos zegt ineens: 'Dit heb ik wel eens op de televisie gezien, dit lijkt op het Wilde Westen.'

Er zijn veel mensen aanwezig en allemaal zitten ze in spanning te wachten. Dicky weet te vertellen dat het spektakel over een kwartier zal beginnen.

Bij de omheining staan mannen in cowboykleding en ze zien paarden aangebonden die allesbehalve gewillig zijn. Rob Willems begroet zijn gasten en vertelt dat de rodeo uit twee onderdelen bestaat, ten eerste een demonstratie van zijn mannen op ongezadelde paarden, en daarna een wedstrijd voor het publiek. De deelnemer die de langste tijd op de rug van een wild paard blijft zitten, wint een jong Appaloosaveulen.

Anika zit onmiddellijk op het puntje van haar zitplaats en ziet niet dat Dicky haar geamuseerd gadeslaat.

Loes en Jos stoten Anika aan. 'Zou dat iets voor ons zijn?'

'Mm, eerst maar eens zien hoe het hier toegaat,' mompelt die.

De show die de mannen van Willems opvoeren, is buitengewoon spectaculair, het is ontzettend moeilijk om op de rug van een bokkend paard te blijven zitten als je geen houvast hebt aan een zadel. Ook aan teugels heb je weinig als een paard zijn achterbenen en dan weer zijn voorbenen in de lucht werpt. De toeschouwers zijn wild enthousiast.

Dicky schuift naast Anika en vraagt: 'Wil jij proberen een veulen te winnen?' Z'n ogen stralen van plaaglust.

'Doe jij mee?' informeert Anika.

Dicky knikt. 'Altijd leuk om een lege trailer weer vol mee terug te nemen.'

'Je doet behoorlijk arrogant, wie weet wat voor handige ruiters er hier aanwezig zijn, maar als jij je laat inschrijven, doe ik het ook!' zegt ze beslist.

Joy zegt dat zij, met wedstrijden in het vooruitzicht, zich geen ongelukken kan permitteren. Loes meent dat de aanwezige paarden voor haar te wild zijn, maar Jos twijfelt nog.

Rob Willems neemt de microfoon en deelt de toeschouwers mee dat de inschrijving is geopend.

De paarden worden in de boxen geleid en als Jos hen ziet haakt zij ook af, zo één kan zij niet berijden.

Dicky gaat naar Willems om Anika en zichzelf in te laten schrijven.

Zodra hij buiten gehoorsafstand is, geeft Joy snel

wat adviezen. 'Het geheim is, Anika, dat je mee moet gaan met de bewegingen van het paard, hoe minder weerstand je biedt hoe meer kans je hebt om in het zadel te blijven. Neem de teugels in één hand en met de vrije arm zwaai je om je lichaam in evenwicht te houden.'

Vandaag zijn er onder de bezoekers weinig liefhebbers, tenslotte kun je behoorlijk in het zand bijten en je lelijk bezeren.

Als de competitie begint, blijkt dat vier jongens zich hebben laten inschrijven, onder wie Dicky. Slechts één meisje durft het aan en dat is Anika de Korte!

De jongens hebben weinig ervaring als ruiter, ze doen het meer voor de pret dan om een veulen te winnen. Ze behoren tot een hele groep jongelui en er wordt hartelijk gelachen en gejoeld als iemand met een boog in het zand belandt. Uiteindelijk lukt het een van de jongens om acht seconden in het zadel te blijven.

Dan is Dicky aan de beurt en Anika kijkt oplettend naar zijn bewegingen. Hij berijdt een werkelijke duvel, maar Dicky is een ervaren jockey en herkent al snel de nukken van het paard.

De stemming op de tribune is opperbest en het publiek telt de seconden mee. Achttien seconden houdt Dicky het vol en dan wordt ook hij afgeworpen.

Als Anika's naam wordt afgeroepen, gaat ze toch een beetje angstig naar de box waarin een roodharige hengst ongeduldig staat te trappen. Terwijl het dier door twee mannen van Willems wordt vastgehouden, klimt Anika in het zadel en pakt de teugel stevig in haar linkerhand.

'Rustig maar m'n paardje,' zegt Anika.

Het paard draait met z'n oren, alsof hij verbaasd is een meisjesstem te horen.

Dan wordt de deur van de box geopend en het paard schiet met zo'n vaart naar voren dat Anika van schrik haar adem inhoudt. Even vergeet ze wat Joy haar heeft ingefluisterd en probeert ze zich schrap te zetten, waardoor ze bijna wordt afgeworpen, maar in een flits herinnert ze zich de raadgevingen en herstelt zich vliegensvlug.

Via de microfoon telt Rob Willems de seconden en de toeschouwers doen weer vrolijk mee, tien… elf… twaalf…

Het paard probeert uit alle macht om zijn berijder af te werpen en gooit zijn achterbenen in de lucht.

Zestien… zeventien… hoort Anika joelen.

Dan bokt de hengst met alle vier de benen van de grond en Anika heeft niet meer de kracht om zich vast te houden. Met een enorme klap komt ze in het zand terecht.

'Twintig seconden!' schreeuwt Rob Willems in de microfoon. 'Deze jongedame heeft het veulen gewonnen.'

Anika ziet er behoorlijk gehavend uit, ze krijgt een dikke bovenlip en heeft een bloedneus. Ze zoekt naar een zakdoek, terwijl een van de cowboys haar overeind helpt. Als ze staat voelt ze dat haar knie ook pijn doet en ontdekt bovendien een fraaie scheur in haar bijna nieuwe spijkerbroek.

Dicky Strijbos komt al aanhollen. 'Gaat het?' vraagt hij bezorgd.

Anika drukt een zakdoek onder haar neus om het bloeden te stoppen.

'Wat een vraag,' zucht ze, terwijl ze snel op een bank plaatsneemt.

'Hoe wist jij eigenlijk hoe je het beste in balans kon blijven?' vraagt Dicky vol bewondering.

Anika kijkt naar Joy, maar die schudt haar hoofd achter de rug van haar broer.

'Ik ben gewoon een natuurtalent,' mompelt Anika. Haar neus doet pijn, haar lip is opgezet en die knie zal ze morgen ook nog wel voelen.

Rob Willems brengt een veulen in de ring en toont het diertje aan het publiek.

Anika strompelt naar voren en neemt de teugels in ontvangst. Zij straalt en zegt: 'Dit is een opgezette lip en een pijnlijke knie wel waard. Wat een lieverd.'

Rob Willems informeert of Anika wel huisvesting heeft voor een veulen.

Anika knikt. 'We hebben thuis een boerderij, dus ruimte zat, maar nu wil ik graag weten of mijn veulen al een naam heeft.'

Rob Willems lacht. 'Hij heet Payaso.'

'Mm, maar wat betekent dat?' vraagt Anika.

'Dat betekent "clown",' legt de cowboy uit.

'Hebben jullie het hier overigens leuk gevonden?' De meisjes knikken opgetogen. 'Na deze show is er een barbecue, ik neem aan dat jullie daar wel zin in hebben!'

Dicky neemt Payaso over van Rob en samen met Anika brengt hij het veulen naar de trailer. 'Je hebt weer van mij gewonnen, blauwoog, maar als ik Payaso had gewonnen, was hij ook naar de Oude Aarde gegaan hoor.'

Anika krijgt een kleur. Dicky is echt een goeie vriend!

Dan krijgen ze gelegenheid om met elkaar het bedrijf te bezichtigen. Er zijn grote ruimten waar de halfwilde paarden kunnen ronddraven, en goed verzorgde stallen. Achter het bedrijf voert een weggetje hen naar een aantal ijzeren barbecues waar de karbonades al lekker liggen te bakken en op houten tafels staan schalen met boerenbrood en sauzen. Het ziet er feestelijk uit.

De groep laat zich alles goed smaken, al heeft Anika wel wat last van haar dikke lip.

Een dag is snel voorbij als je het zó naar je zin hebt.

Anika merkt dat Dicky het eten afrekent, dus heeft hij hun weddenschap eerlijk ingelost.

Op weg naar de Olde Bongerd is Anika stil, haar knie doet pijn en ook voelt ze haar ribben, maar de prijs was het waard.

Dicky glimlacht. 'Anika, heb je genoten?'

Ze knikt mat, ineens overvalt haar weer het gevoel van afscheid nemen. Anika is erg op Dicky gesteld en hem ziet ze de komende maanden ook niet.

'Wanneer ga je naar huis?'

'Eind van de week,' zegt Anika zacht.

'Dan zie ik je niet meer, want morgen ga ik met vader en Joy naar Engeland voor een aantal wedstrijden.' Anika's ogen kijken triest.

'Ach, blauwoog, in de herfstvakantie zie ik je weer, dat is toch zeker! En als je naar Payaso kijkt denk je maar aan ons.' Hij wijst naar Joy en naar zichzelf.

Als ze de auto met trailer vlak voor de stallen parkeren komt Margot al aanhollen. 'Wat hebben jullie meegenomen?' vraagt ze nieuwsgierig.

'Een nieuw vriendje voor Anika, genaamd Payaso,' lacht Dicky.

Margot schudt haar hoofd.

'Waarom loop je zo raar, heb je nog last van je spieren?' vraagt ze bezorgd aan Anika.

'Wéér last,' verbetert die haar.

'Ik neem aan dat jullie mij wel het een en ander uitleggen tijdens de warme chocola,' zegt Margot droog.

Dicky loopt achter Anika aan als zij de kleine hengst naar een lege box brengt. Hij geeft haar een kus op beide wangen en zegt: 'Tot over drie maanden, blauwoog, ik zal je schrijven!' Dan loopt hij naar de keuken om Joy op te halen, want morgenvroeg nemen ze het eerste vliegtuig naar Londen.

Anika blijft nog even bij Payaso hangen en over-denkt dat het vreemd kan lopen in het leven, ze geeft Lucky weg en krijgt er een klein hengstje voor terug.

Margot haalt jodium te voorschijn en behandelt heel zorgvuldig Anika's knie. 'Was het geen grapje van Joy, heb je een echte rodeo gereden?'

Anika knikt bevestigend. 'Ik heb het twee seconden langer volgehouden dan Dicky Strijbos, maar toen viel ik met een klap in het zand, vandaar m'n dikke lip en beschadigde knie. Kun jij misschien m'n spijkerbroek repareren? Hij is nog bijna nieuw, ik denk dat moeder niet al te blij zal zijn.'

'Ik zal zien wat ik kan doen, maar ik ben niet zo handig met naald en draad.'

's Avonds liggen de drie vriendinnen nog lang na te kletsen. Jos meent dat ze nog eens naar de rodeo-farm van Rob Williams moeten gaan. 'Misschien samen met onze ouders,' zegt Loes.

Jos zucht. 'Met onze manege? Dat lukt nooit, vakantie is er voor mijn ouders niet bij.'

'Het was wel een geweldig goed idee van Dicky, leuker dan de disco,' meent Loes.

Anika geeft geen antwoord, door de tentopening kijkt zij uit op de grafheuvel van Jurre en dat stemt haar nadenkend. Van haar zakgeld kan ze best wat bloeiende planten kopen, zodat het niet zo kaal lijkt. Gek, Jurres dood lijkt al weer lang geleden, maar er is ook weer zoveel gebeurd op de Olde Bongerd.

'Hé, Anika, ik vroeg je wat!' zegt Loes. 'Waar ben jij met je gedachten?'

'Wat wil je weten?'

'Of je ouders het goed zullen vinden dat je Payaso meebrengt?'

'Tuurlijk, hij krijgt de box van Lucky en heel misschien wordt hij later een draver.'

'Droomster, het is een Appaloosa! Misschien wordt het wel een prima rij- of springpaard,' lacht Jos Kramers.

'Weet je dan niet dat de Appaloosa's ook wel Indianenpaarden worden genoemd, ze zijn ijzersterk en razendsnel, en vertel mij nou nog eens dat Payaso geen draver kan worden,' geeft Anika als antwoord.

Het wordt stil in de tent. Jos heeft haar handen onder haar hoofd gevouwen en als ze alle drie bijna wegdommelen zegt ze ineens: 'Over een paar dagen moeten we vertrekken.'

Niemand reageert.

'Wat zal ik dit alles missen,' zucht ze.

'Het zal ons ook niet meevallen om weer naar school te moeten,' vult Loes aan.

Anika zegt niets, maar haar beide vriendinnen horen haar wel diep zuchten.

Het duurt een hele tijd voor ze zijn ingeslapen. Buiten is de fluwelen avondhemel getooid met duizenden sterren en de Olde Bongerd is in diepe rust.

Hoofdstuk 10

Daar gaan we dan!

Anika leent de volgende morgen een fiets van Margot en is in de richting van de tuinderij gegaan, zonder verder iets te verklaren.

'Wat wil dat kind?' vraagt Margot aan oude Henry.

'Ken je Anika dan nog niet, Margot, haar laatste vakantiedagen zijn aangebroken!'

Margot knikt, daaraan heeft ze nog niet gedacht. Zij zit trouwens met een ander probleem. Jella is eigendom van de Olde Bongerd, maar Anika heeft voor hen gekoerst en gewonnen. De winnaarsbeker en de deken horen dus aan de Olde Bongerd, maar van het prijzengeld hoort Anika een gedeelte te krijgen. Hoe moeten ze dat inkleden?

Jan Verboom meent dat ze gewoon een bankrekening voor Anika moeten openen, dan heeft ze, als ze later officieel assistent-jockey is, een aardige spaarpot. Margot vindt dat ze Anika daarin moeten kennen.

Als Anika een poosje later terugkomt, heeft ze een kartonnen doos met bloeiende planten op de bagagedrager.

'Wat wil ze daar nou mee?' vraagt Philip.

Oude Henry wenkt hem. 'Ga maar eens mee naar de achterste wei, dan kun je zien waar zij die bloemen plant.'

'Wat een apart mensenkind, niemand van ons heeft daar aan gedacht,' zegt Philip ietwat beschaamd.

'Voor haar blijft Jurre bestaan, ze wil gewoon z'n omgeving wat verfraaien,' zegt de oude trainer.

Anika zet de plantjes in de grond en wel zodanig dat ze de naam 'Jurre' vormen.

Jos en Loes hebben helemaal niet vreemd opgekeken, zij kennen de denkwijze van hun vriendin maar al te goed.

Oude Henry komt naast Anika staan. 'Dat ziet er fijn uit, op deze manier kan niemand Jurre vergeten.' Hij legt een arm om haar schouders en zegt: 'Daar heb je goed aan gedaan!'

Anika trekt een paardrijbroek aan en roept naar haar vriendinnen: 'Zin om een ritje te maken? We hebben nu nog de kans!'

Jos en Loes hebben net afgesproken dat ze nog wat inkopen moeten doen, kleine presentjes voor de familie, dus komt Anika's voorstel ongelegen.

'Geeft niet, dan ga ik alleen.'

Ze zadelt Jella, die langzamerhand weer haar gouden glans begint te krijgen, en meldt Jan Verboom dat ze een rit gaat maken. Jan is druk in de weer met de massage van Lucky en heeft maar half geluisterd. Hij knikt afwezig en dan draaft Anika glorieus weg op de rug van haar Jella.

Het is stil in het bos en Anika geniet van deze rust. Eigenlijk is er tijdens deze vakantie te veel gebeurd, als haar ouders vragen of ze uitgerust is, moet ze maar een leugentje om bestwil bedenken.

'Jella, dit ritje was een goed idee van mij, hè?' praat ze tegen de merrie, terwijl ze de manen streelt.

Jella hinnikt, het is net of ze het heeft begrepen.

Anika kijkt naar de hemel. 'Wij kunnen wel eens een buitje krijgen, alsof het nog niet genoeg heeft geregend de laatste tijd,' moppert ze. 'Wat doen we, omkeren of verder gaan?'

Jella hinnikt uitbundig.

'Goed, meisje, we laten ons uitstapje niet door een regenbui bederven.' En verder draven ze, nog dieper het bos in.

'Hé, Jella, zijn we wel eens zó ver weg geweest?' vraagt ze. Jella schudt haar manen, ten teken dat zij het beslist niet weet.

Anika heeft haar anorak vergeten en draagt alleen een trui op haar paardrijbroek.

De wolken stapelen zich op en binnen de kortste tijd is er geen spoortje blauw meer aan de hemel te bespeuren. Anika kijkt om zich heen, ze moet beschutting zoeken. Ze zet Jella aan tot galop en ontdekt een plek waar de bomen dicht bij elkaar staan, zodat ze een bladerdak vormen.

Een bliksemflits trekt een grillig patroon door de donkere hemel en daarop volgt een enorme donderslag.

Jella's neusgaten sperren zich open, een teken dat zij angstig is, en haar oren draaien nerveus.

'Stil maar, mijn meisje, hier kan ons niets gebeuren,' praat Anika, maar ze veegt haar bezwete handen aan haar broek af.

Weer een slag, en pal in de buurt van hun schuilplaats valt een boom met veel geraas om.

'O, Jella, hier is het niet zo veilig als ik dacht,' zegt Anika geschrokken. 'Kom, we gaan naar een open plek.'

Het is midden op de dag en de hemel is bijna zwart.

Anika bijt op haar lip. Ze vindt dit allesbehalve leuk, maar om nu terug te rijden is helemaal riskant. Er blijft niets anders over dan hier te blijven wachten totdat de onweersbui wegtrekt.

Jella is onrustig door deze vreemde grijze duisternis. Van nature is ze geen angstig paard, maar het is het onbekende.

Anika volgt de bliksemflitsen en donderslagen en weet dan dat ze in het centrum van de bui zitten. Hier op de open plek kunnen ze tenminste niet geraakt worden door vallende bomen, maar het begint te regenen, eerst wat dikke druppels, daarna gevolgd door een werkelijke hoosbui.

Anika rilt. Hoe kan ze hen beschermen tegen dit natuurgeweld? Ze heeft spijt dat ze zó ver is doorgereden en niet op de donkere lucht heeft gelet.

Ze ziet een aantal takken, lang en sterk genoeg, en hiervan bouwt ze een primitief staketsel. Jella heeft onder het zadel een deken, die kan ze er overheen spannen zodat ze allebei iets bescherming hebben. Ze legt takken en bladeren over de deken en zet dan Jella onder dit geïmproviseerde dak. Het dier is duidelijk blij dat ze niet langer in de stromende regen hoeft te staan.

Anika kijkt naar de natte grond, als ze daarop gaat zitten, krijgt ze beslist een longontsteking. Er blijft haar niets anders over dan Jella's zadel op de grond te leggen en dit als zitplaats te gebruiken. Ze kijkt omhoog en ziet dat Jella rustig naar buiten staat te kijken alsof ze in haar box op de Olde Bongerd staat. Anika is minder rustig, want zij merkt dat noch het onweer noch de regen in omvang afneemt.

Hoe lang moeten ze hier nog wachten? Ze heeft het koud en haar maag begint te rommelen. Zouden ze op de Olde Bongerd al ongerust zijn? Ze kijkt op haar horloge, maar het ding staat stil op twee uur en natuurlijk is het al veel later. De tijd schatten is moeilijk als de lucht zó donker is.

De uren verstrijken en Anika zit kleumerig met haar hoofd tegen de warme benen van Jella aan op de grond. Zal iemand van de Olde Bongerd naar hen op zoek gaan?

Jella draait haar hoofd en kijkt met de verstandige fluwelen ogen naar Anika, alsof ze wil zeggen dat ze wel erg lang op het avondvoer moet wachten.

Anika haalt de enige appel die ze heeft meegenomen uit haar broekzak en zegt: 'Vooruit dan maar, eet jij deze maar op.'

Ze wil het liefst een deuntje huilen. Wat er vanmorgen uitzag als een fijn ritje, is veranderd in een werkelijke nachtmerrie. Het regent onverminderd door en Anika duwt hulpzoekend haar gezicht tegen de machtige paardeborst.

Ineens schrikt ze op en komt stijf overeind, Jella heeft haar oren gespitst.

'Jeltje, wat was dat voor een geluid, een auto?' vraagt Anika met klapperende tanden.

Jella hinnikt nadrukkelijk. Ze hoort geluiden in het bos, of komt het doordat ze bang is?

'Is daar iemand?' roept Anika. Haar stem trilt, maar draagt ver.

Nog eens schreeuwt ze zo hard mogelijk en dan hoort ze een auto starten. Even later staat ze in de lichtbundel van een schijnwerper.

'Philip, je hebt ons gevonden!' roept Anika gelukkig. 'Heb je ook dekens in de auto, want Jella en ik zijn verschrikkelijk koud,' klappertandt ze.

'Niet alleen dekens, maar voor jou een thermos met warme chocola en voor Jella heb ik bix meegenomen. Ga maar vlug in de auto zitten dan zet ik Jella in de trailer.' Philip gooit een deken over de rug van het paard en zegt: 'Je bent hongerig, hè meisje!' Zijn stemt klinkt opgelucht omdat hij het tweetal heeft gevonden.

Philip kijkt vol bewondering naar de overkapping die Anika heeft gefabriceerd ter bescherming van het kostbare paard.

In de auto trekt Anika de deken om zich heen en drinkt schielijk van de chocola. Als Philip met veel moeite de auto met trailer heeft gekeerd, begint Anika weer wat op temperatuur te komen.

'Ik hoop dat Jella niet ziek wordt van dit uitstapje, we waren allebei zó nat,' zegt ze met trillende stem.

Philip kijkt opzij. Wat een speciaal meisje is dit toch, zelf ziet ze wit van vermoeidheid en nog denkt ze alleen aan Jella.

'Geen zorg, Kick moet Jella voor de zekerheid maar een injectie geven. Ze overleeft het wel, dankzij de door jou gebouwde schuilplaats,' zegt Philip opbeurend.

'Ik ga nooit meer uit rijden zonder eten en een extra deken,' zegt Anika. 'Ik kan wel een paard op,' lacht ze beverig.

'Margot heeft vast wel wat eetbaars voor je op de kachel staan. Het is ook al laat in de avond, morgen moet je maar flink uitslapen,' zegt Philip hartelijk.

Hoe Anika in haar slaapzak is gekomen weet ze niet, wat zij zich later nog wel kan herinneren, is de warme kruik die daar zorgzaam was ingestopt.

Jos en Loes laten Anika slapen en sluipen de volgende morgen op hun tenen de tent uit. In de keuken horen ze hoe lang Philip heeft moeten zoeken.

'Wat zal Anika koud en nat zijn geweest,' zegt Jos medelijdend.

'Ze had een constructie gemaakt om Jella en zichzelf iets te beschermen, ongelofelijk, alleen van een paar sterke takken en haar enige deken, ik had wel met haar te doen,' vertelt Philip.

'Is Jella in orde?' vraagt Loes.

'Jawel, ze kan wel een stootje hebben. Kick heeft haar vanmorgen helemaal onderzocht en alles in orde bevonden.'

Oude Henry komt de keuken binnen en vraagt: 'Is Anika al wakker?' De twee vriendinnen schudden ontkennend het hoofd.

'Alles is toch in orde met haar?'

Philip glimlacht. Zelfs oude Henry is een beetje verliefd op Anika de Korte.

'Ze zal zich vandaag beslist niet optimaal voelen, neem ik aan,' zegt Philip.

'Jammer, onze vakantie zit er morgen op en Anika heeft vast weinig zin om vandaag iets te gaan ondernemen,' zegt Loes spijtig.

'Hatsjie! Zeker niet!' klinkt het achter haar. Anika komt de keuken in met een rode neus en zegt: 'Ik hoop dat Jella zich beter voelt. Brr, ik heb echt kou gevat.'

'Waarom blijf je dan niet onder de wol?' vraagt Margot.

Anika schudt haar hoofd. 'Op mijn laatste vakantiedag op de Olde Bongerd blijf ik niet in bed!'

Margot schudt haar hoofd. 'Jij bent me er eentje, Anika de Korte. Hoe verklaar je je snotneus morgen thuis? Ik durf te wedden dat je ouders ons een standje geven als ze weten wat zich hier allemaal heeft afgespeeld.'

Anika haalt haar schouders op en vraagt: 'Is Jella in orde?'

Philip lacht. 'Zij is in betere staat dan jij, maar Kick heeft vanmorgen je Appaloosahengstje wel een injectie gegeven, hij had wat gebrek aan vitaminen.'

'Bedankt, Philip, dat spaart mij weer een veeartsbezoek, een mens moet tenslotte op zijn zakcenten passen, hè?'

Margot denkt 'nu of nooit' en zegt: 'Anika, je weet dat je geld hebt gewonnen op de renbaan en het was een aanzienlijk bedrag, dat weet je toch?'

Anika trekt haar wenkbrauwen op. 'Hoezo? Ik heb de enveloppe niet opengemaakt, echt niet. Ik heb alleen naar Jella's deken gekeken, maar ik vind het fijn voor jullie dat het de moeite waard was,' zegt ze hartelijk.

'Anika, maak het ons niet zo moeilijk, jij hebt recht op een gedeelte en dat willen we voor jou op een bankrekening zetten. Als jij in de toekomst jockey wordt, heb je geld om bijvoorbeeld een uitrusting aan te schaffen,' zegt Margot slim.

Anika knikt. 'Als jullie dat geld echt kunnen missen, is dat wel fijn voor later.' Voor haar is hiermee het onderwerp gesloten.

Margot haalt opgelucht adem.

Jan Verboom komt vragen of ze Capri naar de wei willen brengen. Het is altijd een feestelijk moment als een veulen voor de eerste keer in z'n paardeleven buiten komt.

Moeder Michelle kijkt trots om zich heen, alsof ze de andere paarden duidelijk wil maken dat ze een bijzondere taak heeft vervuld. Capri loopt met stijve stapjes achter z'n machtige moeder aan en met grote ogen kijkt hij naar de enorme wereld voor hem. Verbaasd drukt hij zich tegen zijn moeder aan; wat een paarden lopen er in de wei en wat willen die van hem? Het zijn net buurvrouwen die een praatje komen maken.

'Gut, buurvrouw, wat een mooi kind, weet u zeker dat die schimmel de vader is?' geeft Anika als voorstelling.

De meisjes proesten het uit. Capri kijkt geschrokken en draaft weg, maar niet te ver uit de buurt van zijn moeder, want de wereld is voor hem nog een paar maten te groot.

Anika moet ineens aan Jella als veulen denken, zij was toen ook niet bij moeder Frida weg te slaan. Wat is er inmiddels veel gebeurd, de tijd vliegt voorbij.

Anika staat wat voor zich uit te dromen.

'Philip brengt ons morgen naar huis, wist je dat al?' zegt Jos ineens.

Anika schudt haar hoofd.

'Je wilt de kleine Payaso toch meenemen, je laat hem toch niet achter?' informeert Loes van Meerwijk.

'Niets ervan, het is veel te leuk om weer iets kleins te zien opgroeien, trouwens, ik heb het Dicky beloofd,' zegt Anika op ernstige toon.

'Daar gaan we dan,' verzucht Anika de volgende morgen, terwijl ze Payaso vlak voor hun vertrek in de trailer zet. Anika is vroeg opgestaan om nog even de ronde te doen, ze heeft Jella over de neus geaaid en Lucky voor de laatste keer de benen gemasseerd. Michelle krijgt nog een appel van haar en dan gaat ze naar de grafheuvel van Jurre.

'Je weet, Jurre, dat ik je nooit zal vergeten,' zegt ze zacht.

Margot heeft een bankboekje in Anika's jaszak gestopt en gezegd dat ze haar in de herfstvakantie weer verwachten.

Oude Henry en Jan Verboom zijn zogenaamd boos omdat ze nu alle klussen weer zelf moeten opknappen, maar ze doen maar alsof, ze zullen de drie levendige meisjes vreselijk missen.

Anika kijkt nog even over het terrein, ziet Jella in de wei draven en zucht.

'Tot in de herfstvakantie, m'n mooie merrie, vergeet me niet!' roept ze.

Er is zoiets als telepathie tussen Anika en Jella. Jella, de aankomende ster van de Olde Bongerd, hinnikt opgetogen als Philip de auto start. Anika ziet haar merrie langs het hek meedraven. Aan het eind blijft ze staan en gooit het mooie hoofd in de nek en hinnikt nogmaals uitdagend.

Anika wrijft driftig in haar ogen, afscheid nemen van de Olde Bongerd is nu eenmaal ingrijpend. In de trailer hinnikt Payaso, alsof hij haar wil laten weten dat hij er toch is.

Anika snuit haar neus en kijkt naar buiten. In de verte ziet ze de boerderij van haar ouders liggen, de Oude Aarde, ze is weer thuis. Ze ziet Frida in de wei en vader Theo op het land, wat heeft ze veel te vertellen. Anika springt uit de auto en vliegt haar vader om de hals.

Het is fijn om weer thuis te zijn!

Inhoud